Books by John Burroughs

WORKS, 23 vols., uniform, 16mo, with frontispiece.

- Wake-Robin.
- Winter Sunshine.
- Locusts and Wild Honey.
- Fresh Fields.
- Indoor Studies.
- Birds and Poets, with Other Papers.
- Pepacton, and Other Sketches.
- Signs and Seasons.
- Riverby.
- Whitman: A Study.
- The Light of Day.
- Literary Values.
- Far and Near.
- Ways of Nature.
- Leaf and Tendril.
- Time and Change.
- The Summit of the Years.
- The Breath of Life.
- Under the Apple-Trees.
- Field and Study.
- Accepting the Universe.
- Under the Maples.
- The Last Harvest.

FIELD AND STUDY. *Riverside Edition.*

UNDER THE APPLE-TREES. *Riverside Edition.*

THE BREATH OF LIFE. *Riverside Edition.*

THE SUMMIT OF THE YEARS. *Riverside Edition.*

TIME AND CHANGE. *Riverside Edition.*

LEAF AND TENDRIL. *Riverside Edition.*

WAYS OF NATURE. *Riverside Edition.*

FAR AND NEAR. *Riverside Edition.*

LITERARY VALUES. *Riverside Edition.*

THE LIGHT OF DAY. *Riverside Edition.*

WHITMAN: A Study. *Riverside Edition.*

A YEAR IN THE FIELDS. Selections appropriate to each season of the year, from the writings of John Burroughs. Illustrated from Photographs by Clifton Johnson.

IN THE CATSKILLS. Illustrated from Photographs by Clifton Johnson.

CAMPING AND TRAMPING WITH ROOSEVELT. Illustrated from Photographs.

BIRD AND BOUGH. Poems.

WINTER SUNSHINE. *Cambridge Classics Series.*

WAKE-ROBIN. *Riverside Aldine Series.*

SQUIRRELS AND OTHER FUR-BEARERS. Illustrated.

BIRD STORIES FROM BURROUGHS. Illustrated.

HOUGHTON MIFFLIN COMPANY
Boston and New York

BIRD AND BOUGH

Bird and Bough

BY JOHN BURROUGHS

"Some said, John, print it; others said, Not so"
BUNYAN

BOSTON AND NEW YORK
HOUGHTON MIFFLIN COMPANY
The Riverside Press Cambridge

Published March 1906

TO

THE KINGLET

THAT SANG IN MY EVERGREENS IN OCTOBER AND

MADE ME THINK IT WAS MAY

PREFACE

A FEW years ago, a writer in one of the leading New York papers, commenting unfavorably upon some utterances of mine in one of the magazines, said that my readers could forgive me everything but my poetry. Now I am going to presume that some of them, at least, can forgive me even that. Have I not had letters from a few of them — I do not say how many — expressing a desire to see my verses collected in a volume? Could any poet withstand the appeal of even a few disinterested persons who expressed so reasonable and so modest a wish? At any rate, I shall let their suggestion overweigh the adverse opinion of the hard-hearted critic just referred to.

I have a fairly well-formed conviction that probably my verses contain more truth than poetry. But if one cannot attain to poetry, truth is not to be despised. If I have achieved only good rhymed natural history I shall deem it quite worth while.

Certain it is that my birds are not larks that clap their wings at heaven's gate, nor are they nightingales with their bursts of "eternal passion, eternal pain." Rather are they more akin to the plebeian robin who carols from the treetops in the intervals of stealing your cherries. Well, robin it shall be, then, and let me hope that old associations will play some part in making up for the want of melody in the strain.

The one thing that I claim for my verses is that they keep a little closer to our wild nature — to the birds, the flowers, the seasons — than most of our minor poetry has done. I do not believe the reader will find a hint of any flora or fauna but our own in my pages.

Then if I have also succeeded in bringing home the bough with the bird I heard singing upon it, or some suggestion of its place in the fields and woods and in the season, my title will need no explanation.

J. B.

CONTENTS

CONTENTS

BIRD AND BOUGH

THE PARTRIDGE

List the booming from afar,
  Soft as hum of roving bee,
Vague as when on distant bar
  Fall the cataracts of the sea.

Yet again, a sound astray,
  Was it the humming of the mill?
Was it cannon leagues away?
  Or dynamite beyond the hill?

'T is the grouse with kindled soul,
  Wistful of his mate and nest,
Sounding forth his vernal roll
  On his love-enkindled breast.

List his fervid morning drum,
  List his summons soft and deep,
Calling spice-bush till she come,
  Waking bloodroot from her sleep.

Ah! ruffled drummer, let thy wings
  Beat a march the days will heed,
Wake and spur the tardy spring,
Till minstrel voices jocund ring,
  And spring is spring in very deed.

A MARCH GLEE

I HEAR the wild geese honking
From out the misty night,—
A sound of moving armies
On-sweeping in their might;
The river ice is drifting
Beneath their northward flight.

I hear the bluebird plaintive
From out the morning sky,
Or see his wings a-twinkle
That with the azure vie;
No other bird more welcome,
No more prophetic cry.

I hear the sparrow's ditty
Anear my study door;
A simple song of gladness
That winter days are o'er;
My heart is singing with him,
I love him more and more.

I hear the starling fluting
His liquid "O-ka-lee;"
I hear the downy drumming,

His vernal reveillé;
From out the maple orchard
The nuthatch calls to me.

Oh, spring is surely coming,
Her couriers fill the air;
Each morn are new arrivals,
Each night her ways prepare;
I scent her fragrant garments,
Her foot is on the stair.

THE BLUEBIRD

A WISTFUL note from out the sky,
"Pure, pure, pure," in plaintive tone,
As if the wand'rer were alone,
And hardly knew to sing or cry.

But now a flash of eager wing,
Flitting, twinkling by the wall,
And pleadings sweet and am'rous call, —
Ah, now I know his heart doth sing!

O bluebird, welcome back again,
Thy azure coat and ruddy vest
Are hues that April loveth best, —
Warm skies above the furrowed plain.

The farm boy hears thy tender voice,
And visions come of crystal days,
With sugar-camps in maple ways,
And scenes that make his heart rejoice.

The lucid smoke drifts on the breeze,
The steaming pans are mantling white,
And thy blue wing 's a joyous sight,
Among the brown and leafless trees.

THE BLUEBIRD

Now loosened currents glance and run,
  And buckets shine on sturdy boles,
  The forest folk peep from their holes,
And work is play from sun to sun.

The Downy beats his sounding limb,
  The nuthatch pipes his nasal call,
  And robin perched on treetop tall
Heavenward lifts his evening hymn.

Now go and bring thy homesick bride,
  Persuade her here is just the place
  To build a home and found a race
In Downy's cell, my lodge beside.

THE SONG OF THE TOAD

HAVE you heard the blinking toad
  Sing his solo by the river
When April nights are soft and warm,
  And spring is all a-quiver?
If there are jewels in his head,
  His wits they often muddle, —
His mate full often lays her eggs
  Into a drying puddle.

The jewel 's in his throat, I ween,
  And song in ample measure,
For he can make the welkin ring,
  And do it at his leisure.
At ease he sits upon the pool,
  And, void of fuss or trouble,
Makes vesper music fit for kings
  From out an empty bubble:

A long-drawn-out and tolling cry,
  That drifts above the chorus
Of shriller voices from the marsh
  That April nights send o'er us;
A tender monotone of song
  With vernal longings blending,

That rises from the ponds and pools,
  And seems at times unending;

A linkèd chain of bubbling notes,
  When birds have ceased their calling,
That lulls the ear with soothing sound
  Like voice of water falling.
It is the knell of Winter dead;
  Good-by, his icy fetter.
Blessings on thy warty head:
  No bird could do it better.

THE COMING OF PHŒBE

When buckets shine 'gainst maple trees
  And drop by drop the sap doth flow,
When days are warm, but nights do freeze,
  And deep in woods lie drifts of snow,
When cattle low and fret in stall,
Then morning brings the phœbe's call,
                                        "Phœbe,
Phœbe, phœbe," a cheery note,
While cackling hens make such a rout.

When snowbanks run, and hills are bare,
  And early bees hum round the hive,
When woodchucks creep from out their lair
  Right glad to find themselves alive,
When sheep go nibbling through the fields,
Then Phœbe oft her name reveals,
                                        "Phœbe,
Phœbe, phœbe," a plaintive cry,
While jacksnipes call in morning sky.

When wild ducks quack in creek and pond
  And bluebirds perch on mullein-stalks,
When spring has burst her icy bond
  And in brown fields the sleek crow walks,

THE COMING OF PHŒBE

When chipmunks court in roadside walls,
Then Phœbe from the ridge-board calls,
"Phœbe,
Phœbe, phœbe," and lifts her cap,
While smoking Dick doth boil the sap.

SPRING GLADNESS

Now clap your hands together,
For this is April weather,
  And love again is born;
The west wind is caressing,
The turf your feet are pressing
  Is thrilling to the morn.

To see the grass a-greening,
To find each day new meaning
  In sky and tree and ground;
To see the waters glisten,
To linger long, and listen
  To every wakening sound!

To feel your nerves a-tingle
By grackle's strident jingle
  Or starling's brooky call,
Or phœbe's salutation,
Or sparrow's proclamation
  Atop the garden wall!

The maple trees are thrilling,
Their eager juices spilling
  In many a sugar-camp.

SPRING GLADNESS

I see the buckets gleaming,
I see the smoke and steaming,
  I smell the fragrant damp.

The mourning-dove is cooing,
The husky crow is wooing,
  I hear his raucous vows;
The robin's breast is glowing,
Warm hues of earth are showing
  Behind the early plows.

I love each April token
And every word that's spoken
  In field or grove or vale, —
The hyla's twilight chorus,
The clanging geese that o'er us
  Keep well the northern trail.

Oh, soon with heaping measures
The spring will bring her treasures
  To gladden every breast;
The sky with warmth a-beaming,
The earth with love a-teeming —
  In life itself new zest!

EARLY APRIL

Behold the robin's breast aglow
As on the lawn he seeks his game;
His cap a darker hue doth show,
His bill a yellow flame.

Now in the elm-tops see the swarm
Of swelling buds like bees in May;
The maples, too, have tints blood warm,
And willows show a golden ray.

In sunny woods the mould makes room
For liver leaf to ope her eye;
A tiny firmament of bloom
With stars upon a mimic sky.

Forth from the hive go voyaging bees,
Cruising far each sunny hour;
Scenting sap 'mid maple trees,
Or sifting bread from sawdust flour.

Up from the marsh a chorus shrill
Of piping frogs swells in the night;
The meadowlark shows flashing quill
As o'er brown fields she takes her flight.

EARLY APRIL

Now " mourning-cloak " takes up her clew
And dances through the sunny glades;
And sluggish turtles painted new
Are creeping forth where bittern wades.

Now screaming hawks soar o'er the wood,
And sparrows red haunt bushy banks;
The starlings gossip, "Life is good,"
And grackles pass in sable ranks.

The rye-fields show a tender hue
Of fresh'ning green amid the brown,
And pussy-willow 's clad anew
Along the brook in silver gown.

The purple finch hath found his tongue,
From out the elm tree what a burst!
Now once again all things are young,
Renewed by love as at the first.

HEPATICA

WHEN April 's in her genial mood,
And leafy smells are in the wood,
  In sunny nook, by bank or brook,
Behold this lovely sisterhood.

A spirit sleeping in the mould,
And tucked about by leafage old,
  Opens an eye blue as the sky,
And trusting takes the sun or cold.

Before a leaf is on the tree,
Or booms the roving bumblebee,
  She hears a voice, "Arise, rejoice!"
In furry vestments cometh she.

Before the oven-bird has sung,
Or thrush or chewink found a tongue,
  She ventures out and looks about,
And once again the world is young.

Sometimes she stands in white array,
Sometimes as pink as dawning day,
  Or every shade of azure made,
And oft with breath as sweet as May.

ARBUTUS DAYS

I

DAYS! days! arbutus days!
  They come from heaven on high;
They wrap the world in brooding haze,
  They marry earth and sky.

What lures me onward o'er the hills,
  Or down the beaten trail?
Vague murmuring all the valley fills,
  And yonder calls the quail.

Like mother bird upon her nest
  The day broods o'er the earth;
Fresh hope and life fill every breast;
  I share the spring's new birth.

II

Awake! arise! and April wise
  Seek out a forest side,
Where under wreaths of withered leaves
  The shy sweet flowers hide.

I hear the hum of red-ruff's drum,
  And hark! the thrasher sings;

His russet form 's against the sky,
  And bold his mimickings.

Upon my soul, he calls the roll
  Of all the birds o' the year —
"Veery!" "Cheewink!" "Oriole!" "Bob-
    olink!"
  "Make haste!" "The spring is here."

Now pause and mark the meadowlark
  Send forth his call to spring;
"Why don't you hear? 'T is spring o' the
    year!" —
  Like dart from sounding string.

Ah! golden shaft, 't was he that laughed
  And lifted up his bill;
"Wick, wick; wick, wick;" "Wake up, be
    quick;"
  The ant is on her hill.

The bloodroot's face with saintly grace
  Stars all the unkempt way,
Upon the rocks in merry flocks
  Dicentra dances gay.

The hemlock trees hum in the breeze,
  The swallow 's on the wing;
In forest aisles are genial smiles,
  To greet thy burgeoning.

ARBUTUS DAYS

III

Again the sun is over all,
Again the robin's evening call
Or early morning lay,
I hear the stir about the farms,
I see the earth with open arms,
I feel the breath of May.

THE BUSH-SPARROW

In the bushy pastures
  Ere April days are done,
Or 'long the forest border
  Ere chewink has begun,
Is Spizella trilling
  In notes that circling run
Like wavelets in the water
  A-rippling in the sun.

A gentle, timid rustic
  Who makes the dingle ring,
Or round about the orchard
  Where bush and brier cling.
Most tuneful of the sparrows,
  My bird with russet wing, —
A joy in early summer,
  A thrill in early spring.

His coat has russet trimmings,
  And russet is his crown;
Less bright and trim of feather
  Than chippy, near the town;
A plainer country cousin,
  With plainer country gown,

THE BUSH-SPARROW

Who loves the warmth of summer,
  But dreads the autumn's frown.

He hides in weedy vineyards
  When August days are here,
And taps the purple clusters
  For a bit of social cheer;
The boys have caught him at it,
  The proof is fairly clear;
And still I bid him welcome,
  The pilf'ring little dear;
He pays me off in music,
  And pays me every year.

THE SWALLOW

At play in April skies that spread
Their azure depths above my head,
As onward to the woods I sped,
  I heard the swallow twitter;
Oh, skater in the fields of air,
On steely wings that sweep and dare,
To gain these scenes thy only care,
  Nor fear the winds are bitter.

This call from thee is tidings dear,
The news that crowns the vernal year,
'T is true, 't is true, the swallow 's here,
  The south wind brings her greeting;
Thy voice is neither call nor song,
And yet it starts a varied throng
Of fancies sweet and memories long, —
  It sounds like lovers meeting.

I know thou dost not kiss on wing,
I know thou dost not pipe or sing,
Or bill or coo, in early spring,
  And yet these sounds ecstatic;
Thy ruddy breast from over seas,
Like embers quickened by the breeze,

Now feels the warmth of love's decrees
 That make thy joy emphatic.

Ah, well I know thy deep-dyed vest,
Thy burnished wing, thy feathered nest,
Thy lyric flight at love's behest,
 And all thy ways so airy.
Thou art a nursling of the air,
No earthly food makes up thy fare,
But soaring things both frail and rare, —
 Fit diet of a fairy.

I see thee sit upon the ground
And stoop and stare and hobble round,
As if thy silly legs were bound,
 Or it were freezing weather;
Thou hast but little need of feet, —
To gather mortar for thy seat,
To perch on wires above the street,
 Or pick up straw or feather.

Kind nature gave thee power of flight,
And sheen of plume and iris bright,
And everything that was thy right,
 And thou art well contented;
In August days thy young are grown,
Then southward turn to warmer zone,
And follow where thy mates have flown,
 But leave our love cemented.

EARLY MAY

THE time that hints the coming leaf,
  When buds are dropping chaff and scale,
  And, wafted from the greening vale,
Are pungent odors, keen as grief.

Now shad-bush wears a robe of white,
  And orchards hint a leafy screen;
  While willows drop their veils of green
Above the limpid waters bright.

New songsters come with every morn,
  And whippoorwill is overdue,
  While spice-bush gold is coined anew
Before her tardy leaves are born.

The cowslip now with radiant face
  Makes mimic sunshine in the shade,
  Anemone is not afraid,
Although she trembles in her place.

Now adder's-tongue new gilds the mould,
  The ferns unroll their woolly coils,
  And honey-bee begins her toils
Where maple trees their fringe unfold.

EARLY MAY

The goldfinch dons his summer coat,
  The wild bee drones her mellow bass,
  And butterflies of hardy race
In genial sunshine bask and float.

The Artist now is sketching in
  The outlines of his broad design
  So soon to deepen line on line,
Till June and summer days begin.

Now Shadow soon will pitch her tent
  Beneath the trees in grove and field,
  And all the wounds of life be healed,
By orchard bloom and lilac scent.

IN MAY

When grosbeaks show a damask rose
  Amid the cherry blossoms white,
And early robins' nests disclose
  To loving eyes a joyous sight;

When columbines like living coals
  Are gleaming 'gainst the lichened rocks,
And at the foot of mossy boles
  Are young anemones in flocks;

When ginger-root beneath twin leaves
  Conceals its dusky floral bell,
And showy orchid shyly weaves
  In humid nook its fragrant spell;

When dandelion's coin of gold
  Anew is minted on the lawn,
And apple trees their buds unfold,
  While warblers storm the groves at dawn;

When such delights greet eye and ear,
  Then strike thy tasks and come away:
It is the joy-month of the year,
  And onward sweeps the tide of May.

IN MAY

When farmhouse doors stand open wide
  To welcome in the balmy air,
When truant boys plunge in the tide,
  And school-girls knots of violets wear;

When grapevines crimson in the shoot,
  Like fin of trout in meadow stream,
And morning brings the thrush's flute
  Where dappled lilies nod and dream;

When varied tints outline the trees,
  Like figures sketched upon a screen,
And all the forest shows degrees
  Of tawny red and yellow-green;

When purple finches sing and soar,
  Then drop to perch on open wing,
With vernal gladness running o'er —
  The feathered lyrist of the spring:

When joys like these salute the sense,
  And bloom and perfume fill the day,
Then waiting long hath recompense,
  And all the world is glad with May.

IN BLOOMING ORCHARDS

AGAIN I walk 'mid orchard bloom
And linger long with willing feet;
I walk with sighs, but not in gloom,
For in my heart is ample room
For pensive thoughts and musings sweet.

Ah, pensive thoughts, to these I'm prone,
When, strolling 'neath the pink white boughs,
I breathe the fragrance, hear the drone
Of eager bees that come from home,
In forest near, or gardened house.

My thoughts go homeward with the bees;
I dream of youth and happier days —
Of orchards where amid the trees
I loitered free from Time's decrees,
And loved the birds and learned their ways.

Oh, orchard thoughts and orchard sighs,
Ye, too, are bcrn of life's regrets!
The apple bloom I see with eyes
That have grown sad in growing wise,
Through Mays that manhood ne'er forgets.

THE CUCKOO

STRANGE, reserved, unsocial bird,
  Flitting, peering 'mid the leaves,
Thy lonely call a twofold word
  Repeated like a soul that grieves —
    "Kou-kou," "Kou-kou" — a solemn plaint
    Now loud and full, now far and faint.

A joyless wingèd anchorite,
  Or hapless exile in the land,
Oft intoning in the night
  A rune I fain would understand —
    "Kou-kou," "Kou-kou," a boding cry,
    When night enfolds the earth and sky.

With eye and motions of the dove,
  And throat that swells and heaves,
Thy life seems quite untouched by love,
  Or by the spell that passion weaves.
    "Kou-kou," "Kou-kou," a doleful note,
    From out a smooth and dovelike throat.

Thy nest a little scaffolding
  Of loosely woven boughs,
Compared with nests of birds that sing,
  A hut beside a house.

THE CUCKOO

"Kou-kou," "Kou-kou," unsocial sound,
When blithe and festive calls abound.

Art prophet of the coming rain—
The raincrow, wise in weather lore?
Or dost thou try to say in vain
The words of thine in days of yore?
"Kou-kou," "Kou-kou." Weird thy call,
Though happy skies are over all.

"Kou-kou," "Kou-kou," repeated oft,
Like one who half recalls the chimes
Of "Cuckoo," "Cuckoo," in wood and croft,
Across the seas in Wordsworth's times.
"Kou-kou," "Kou-kou," thy cheerless strain
To country folk foretelleth rain.

Thy voice hath lost its blithesome tone,
Thy ways have changed from gay to grave;
Do nesting cares make thee to moan
Since finchie now is not thy slave?
"Kou-kou," "Kou-kou," in voice forlorn,
As if thy breast were on a thorn.

But thou hast gained in love, I ween,
And gained in hue a burnished brown;
In thicket dense thy nest is seen,
And love of young is now thy crown.
"Kou-kou," "Kou-kou," a call of love,
Though doleful as a mourning-dove.

COLUMBINE

I STROLLED along the beaten way,
  Where hoary cliffs uprear their heads,
And all the firstlings of the May
  Were peeping from their leafy beds,
When, dancing in its rocky frame,
I saw th' columbine's flower of flame.

Above a lichened niche it clung,
  Or did it leap from out a seam? —
Some hidden fire had found a tongue
  And burst to light with vivid gleam.
It thrilled the eye, it cheered the place,
And gave the ledge a living grace.

The redstart flashing up and down,
  The oriole whistling in the elm,
The kinglet with his ruby crown —
  All wear the colors of thy realm;
And starling, too, with glowing coals —
So shine thy lamps by oak-tree boles.

I saw them a-flaming
  Against the gray rocks;
I saw them in couples,
  I saw them in flocks.

COLUMBINE

They danced in the breezes,
  They glowed in the sun,
They nodded and beckoned,
  Rejoiced every one.

Some grew by the wayside,
  Some peered from the ledge,
Some flamed from a crevice,
  And clung like a wedge;
Some rooted in débris
  Of rocks and of trees,
And all were inviting
  The wild banded bees.

Nature knows well the use of foils,
  And knoweth how to recompense;
There lurks a grace in all her toils
  And in her ruder elements;
And oft doth gleam a tenderness
The eye to charm, the ear to bless.

THE VESPER SPARROW

Dear minstrel of the twilight fields,
Whose voice from out a tranquil breast
In vesper hymn sweet solace yields
When closing day invites to rest,
"Peace, good-will," and then good-night,
While toil and care now take their flight.

Now rests thy form close to the ground,
Or perched upon a warm gray stone
As upward floats this lulling sound,
Cheering thy mate who sits alone,
"Peace, good-will," and then to rest,
With loving thoughts of mate and nest.

Thy nest is hidden in the grass,
If blending colors be to hide —
Like raindrop resting on the glass,
Or darting grayling in the tide.
"Peace, good-will," then close the eye
While fades the light in western sky.

The shadows deepen 'neath the hills,
I breathe the breath of summer nights —
The pastoral fragrance that o'erspills
These gently sloping grassy heights.

"Peace, good-will," then fold the wings
Till morrow's sun new gladness brings.

Thy vespers rise from near and far
When groves are hushed and meadows mute'
Sometimes I catch a single bar
Like wandering notes from silver flute.
"Peace, good-will," warm broods the night
While moon and stars shed silvery light.

A bleating lamb just stirs the hush
That soft is stealing o'er the scene;
Then faintly comes the roar and rush
Of distant train the hills between.
"Peace, good-will," and do not fear,
Thy watchful mate is ever near.

Now all is still, the day is done,
Thy head is tucked beneath the wing,
A silver web by Luna spun
O'er all the hills is glistening.
"Peace, good-will," and then good-night
Till skies are filled with morning light.

JUNE'S COMING

Now have come the shining days
  When field and wood are robed anew,
And o'er the world a silver haze
  Mingles the emerald with the blue.

Summer now doth clothe the land
  In garments free from spot or stain —
The lustrous leaves, the hills untanned,
  The vivid meads, the glaucous grain.

The day looks new, a coin unworn,
  Freshly stamped in heavenly mint:
The sky keeps on its look of morn;
  Of age and death there is no hint.

How soft the landscape near and far!
  A shining veil the trees infold;
The day remembers moon and star;
  A silver lining hath its gold.

Again I see the clover bloom,
  And wade in grasses lush and sweet;
Again has vanished all my gloom
  With daisies smiling at my feet.

JUNE'S COMING

Again from out the garden hives
  The exodus of frenzied bees;
The humming cyclone onward drives,
  Or finds repose amid the trees.

At dawn the river seems a shade —
  A liquid shadow deep as space;
But when the sun the mist has laid,
  A diamond shower smites its face.

The season's tide now nears its height,
  And gives to earth an aspect new;
Now every shoal is hid from sight,
  With current fresh as morning dew.

THE HERMIT THRUSH

In the primal forest's hush,
Listen! . . . the hermit thrush!
Silver chords of purest sound
Pealing through the depths profound,
Tranquil rapture, unafraid
In the fragrant morning shade.

Pausing in the twilight dim,
Hear him lift his evening hymn,
Clear it rings from mountain crest,
Pulsing out from speckled breast.
Day is done, the moon doth soar,
Still the hermit, o'er and o'er,
In the deep'ning twilight long
Holds and swells his cadenced song.

Purest sounds are farthest heard,
Voice of man or song of bird,
And the hermit's silver horn
In dreaming night or dewy morn
Is a serene, ethereal psalm,
Devoutly gay, divinely calm —
The soul of song, the breath of prayer,
In melody beyond compare,
'T is borne afar on every breeze,

Nor captive held by housing trees.
Where louder voices faint and fail
The hermit's purer tones prevail.

O silver throat, O golden heart,
What magic in thy artless art!
In boyhood days I knew thee well
And yielded to thy music's spell.
Thy tawny wing, thy silent flight,
Thy gesture soft when thou didst light,
Thy graceful pose, thy gentle mien,
Thy still reserve when thou wast seen.
I knew the woods where thou didst bide,
I knew the nest that was thy pride —
An open secret on the ground
By russet leaves encompassed round.

I linger long where thou dost sing,
To drink my fill of everything
That waves above or blooms below,
And all that sylvan spirits know —
The hoary trunks, the whispering leaves,
Pewee that pensive sighs and grieves,
Clintonia with her modest bells,
Columbine with honeyed cells,
Violet pale and orchid rare,
Fragrant brakes and maiden-hair,
Mitchella with her floral twins,
Crimson fruit that partridge wins,

Oxalis with her girlish face,
Squirrel corn with leafy grace,
Herb Robert rank, with veinèd eye,
And liver leaf "to match the sky" —
These and others fair and sweet
Bedeck the floor of thy retreat.

Two other birds oft with thee fare
And syllable the wilding air.
The veery thrush blows in his flute
When all but thou and he are mute —
Reverb'rant note in leafy halls
That echo to his fluty calls.
And winter wren with thee abides, —
A dapper bird that skulks and hides,
Now court'sying on a mossy stone,
Then ducking 'neath a tree-trunk prone;
Pert his mien, his wondrous throat
Quivers and throbs with rapid note —
A lyric burst with power imbued
To thrill and shake the solitude.

But thou art master in these aisles,
Our troubled hearts thy strain beguiles;
Deep solemn joy thy soul knoweth well.
Chant on, from heights where thou dost dwell,
Thy hymn of faith, thy peace, thy prayer —
A benediction on the air.

BOBOLINK

DAISIES, clover, buttercup,
  Red-top, trefoil, meadowsweet,
Ecstatic pinions, soaring up,
  Then gliding down to grassy seat.

Sunshine, laughter, mad desires,
  May day, June day, lucid skies,
All reckless moods that love inspires —
  The gladdest bird that sings and flies.

Meadows, orchards, bending sprays,
  Rushes, lilies, billowy wheat,
Song and frolic fill his days,
  A feathered rondeau all complete.

Pink bloom, gold bloom, fleabane white,
  Dewdrop, raindrop, cooling shade,
Bubbling throat and hovering flight,
  And jocund heart as e'er was made.

MIDSUMMER IN THE CATSKILLS

The strident hum of sickle-bar,
Like giant insect heard afar,
  Is on the air again;
I see the mower where he rides
Above the level grassy tides
  That flood the meadow plain.

The barns are fragrant with new hay,
Through open doors the swallows play
  On wayward, glancing wing;
The bobolinks are on the oats,
And gorging stills the jocund throats
  That made the meadows ring.

The cradlers twain, with right good-will,
Leave golden lines across the hill
  Beneath the midday sun.
The cattle dream 'neath leafy tent,
Or chew the cud of sweet content
  Knee-deep in pond or run.

July is on her burning throne,
And binds the land with torrid zone,
  That hastes the ripening grain;

While sleepers swelter in the night,
The lusty corn is gaining might
  And darkening on the plain.

The butterflies sip nectar sweet
Where gummy milkweeds offer treat
  Or catnip bids them stay.
On banded wing grasshoppers poise,
With hovering flight and shuffling noise,
  Above the dusty way.

The thistle-bird, midsummer's pet,
In billowy flight on wings of jet,
  Is circling near his mate.
The silent waxwing's pointed crest
Is seen above her orchard nest,
  Where cherries linger late.

The dome of day o'erbrims with sound
From humming wings on errands bound
  Above the sleeping fields;
The linden's bloom faint scents the breeze,
And, sole and blessed 'mid forest trees,
  A honeyed harvest yields.

Poisèd and full is summer's tide,
Brimming all the horizon wide,
  In varied verdure dressed;

Its viewless currents surge and beat
In airy billows at my feet
  Here on the mountain's crest.

Through pearly depths I see the farms,
Where sweating forms and bronzèd arms
  Reap in the land's increase;
In ripe repose the forests stand,
And veilèd heights on every hand
  Swim in a sea of peace.

THE INDIGO-BIRD

Oh, late to come but long to sing,
My little finch of deep-dyed wing,
  I welcome thee this day!
Thou comest with the orchard bloom,
The azure days, the sweet perfume
  That fills the breath of May.

A wingèd gem amid the trees,
A cheery strain upon the breeze
  From treetop sifting down;
A leafy nest in covert low,
When daisies come and brambles blow,
  A mate in Quaker brown.

But most I prize, past summer's prime,
When other throats have ceased to chime,
  Thy faithful treetop strain;
No brilliant bursts our ears enthrall —
A prelude with a "dying fall"
  That soothes the summer's pain.

Where blackcaps sweeten in the shade,
And clematis a bower hath made,
  Or in the bushy fields,

THE INDIGO-BIRD

On breezy slopes where cattle graze,
At noon on dreamy August days,
  Thy strain its solace yields.

Oh, bird inured to sun and heat,
And steeped in summer languor sweet,
  The tranquil days are thine.
The season's fret and urge are o'er,
Its tide is loitering on the shore;
  Make thy contentment mine!

TO THE BEE BALM

UNMOVED I saw you blooming,
Your crimson cap uplooming
  Above the jewel weed;
'T is true I passed unheeding,
Unmindful of your pleading,
  Until she gave you heed.

But when she paused and plucked you,
And in her bosom tucked you,
  And filled her girlish hands,
New beauty filled your measure,
You shone a woodland treasure
  Amid the floral clans.

Your martial look grew tender,
More winsome was your splendor
  With her beside the stream;
Rare gift to charm she brought you,
With her own graces fraught you,
  Retouched your glowing beam.

I soon forgot my trouting,
Repented of my flouting
  Your brave and festive look;

TO THE BEE BALM

I saw in you new meaning,
A nodding or a leaning
  Beside the purling brook.

Oh, day I long shall cherish,
Nor let one vision perish
  That filled each sunny hour.
The phœbe's mossy chamber,
The pool like liquid amber,
  That mirrored maid and flower.

THE CARDINAL FLOWER

Like peal of a bugle
  Upon the still night,
So flames her deep scarlet
  In dim forest light.

A heart-throb of color
  Lit up the dim nook,
A dash of deep scarlet
  The dark shadows shook.

Thou darling of August,
  Thou flame of her flame,
'T is only bold Autumn
  Thy ardor can tame.

IN OCTOBER

Now comes the sunset of the verdant year,
Chemic fires, still and slow,
Burn in the leaves, till trees and groves appear
Dipped in the sunset's glow.

Through many-stained windows of the wood
The day sends down its beams,
Till all the acorn-punctured solitude
Of sunshine softly dreams.

I take my way where sentry cedars stand
Along the bushy lane,
And whitethroats stir and call on every hand,
Or lift their wavering strain;

The hazel-bush holds up its crinkled gold
And scents the loit'ring breeze —
A nuptial wreath amid its leafage old
That laughs at frost's decrees.

A purple bloom is creeping o'er the ash —
Dull wine against the day,
While dusky cedars wear a crimson sash
Of woodbine's kindled spray.

IN OCTOBER

I see the stolid oak tree's smould'ring fire
    Sullen against emerald rye;
And yonder sugar maple's wild desire
    To match the sunset sky.

On hedge and tree the bittersweet has hung
    Its fruit that looks a flower;
While alder spray with coral berries strung
    Is part of autumn's dower.

The plaintive calls of bluebirds fill the air,
    Wand'ring voices in the morn;
The ruby kinglet, flitting here and there,
    Winds again his elfin horn.

Now Downy shyly drills his winter cell,
    His white chips strew the ground;
While squirrels bark from hill or acorned dell —
    A true autumnal sound.

I hear the feathered thunder of the grouse
    Soft rolling through the wood,
Or pause to note where hurrying mole or mouse
    Just stirs the solitude.

Anon the furtive flock-call of the quail
    Comes up from weedy fields;
Afar the mellow thud of lonely flail
    Its homely music yields.

IN OCTOBER

Behold the orchards piled with painted spheres
    New plucked from bending trees;
And bronzèd huskers tossing golden ears
    In genial sun and breeze.

Once more the tranquil days brood o'er the hills,
    And soothe earth's toiling breast;
A benediction all the landscape fills
    That breathes of peace and rest

THE DOWNY WOODPECKER

Downy came and dwelt with me,
  Taught me hermit lore;
Drilled his cell in oaken tree
  Near my cabin door.

Architect of his own home
  In the forest dim,
Carving its inverted dome
  In a dozy limb.

Carved it deep and shaped it true
  With his little bill;
Took no thought about the view,
  Whether dale or hill.

Shook the chips upon the ground,
  Careless who might see,
Hark! his hatchet's muffled sound
  Hewing in the tree.

Round his door as compass-mark,
  True and smooth his wall;
Just a shadow on the bark
  Points you to his hall.

THE DOWNY WOODPECKER

Downy leads a hermit life
  All the winter through;
Free his days from jar and strife,
  And his cares are few.

Waking up the frozen woods,
  Shaking down the snows;
Many trees of many moods
  Echo to his blows.

When the storms of winter rage,
  Be it night or day,
Then I know my little page
  Sleeps the time away.

Downy's stores are in the trees,
  Egg and ant and grub;
Juicy tidbits, rich as cheese,
  Hid in stump and stub.

Rat-tat-tat his chisel goes,
  Cutting out his prey;
Every boring insect knows
  When he comes its way.

Always rapping at their doors,
  Never welcome he;
All his kind, they vote, are bores,
  Whom they dread to see.

THE DOWNY WOODPECKER

Why does Downy live alone
  In his snug retreat?
Has he found that near the bone
  Is the sweetest meat?

Birdie craved another fate
  When the spring had come;
Advertised him for a mate
  On his dry-limb drum.

Drummed her up and drew her near,
  In the April morn,
Till she owned him for her dear
  In his state forlorn.

Now he shirks all family cares,
  This I must confess;
Quite absorbed in self affairs
  In the season's stress.

We are neighbors well agreed
  Of a common lot;
Peace and love our only creed
  In this charmèd spot.

THE CROW

I

My friend and neighbor through the year,
Self-appointed overseer

Of my crops of fruit and grain,
Of my woods and furrowed plain,

Claim thy tithings right and left,
I shall never call it theft.

Nature wisely made the law,
And I fail to find a flaw

In thy title to the earth,
And all it holds of any worth.

I like thy self-complacent air,
I like thy ways so free from care,

Thy landlord stroll about my fields,
Quickly noting what each yields;

Thy courtly mien and bearing bold,
As if thy claim were bought with gold;

THE CROW

Thy floating shape against the sky,
When days are calm and clouds are high;

Thy thrifty flight ere rise of sun,
Thy homing clans when day is done.

Hues protective are not thine,
So sleek thy coat each quill doth shine.

Diamond black to end of toe,
Thy counter-point the crystal snow.

II

Never plaintive nor appealing,
Quite at home when thou art stealing,

Always groomed to tip of feather,
Calm and trim in every weather,

Morn till night my woods policing,
Every sound thy watch increasing.

Hawk and owl in treetop hiding
Feel the shame of thy deriding.

Naught escapes thy observation,
None but dread thy accusation.

THE CROW

III

Hunters, prowlers, woodland lovers
Vainly seek the leafy covers.

Noisy, scheming, and predacious,
With demeanor almost gracious.

Dowered with leisure, void of hurry,
Void of fuss and void of worry,

Friendly bandit, Robin Hood,
Judge and jury of the wood,

Or Captain Kidd of sable quill,
Hiding treasures in the hill.

Nature made thee for each season,
Gave thee wit for ample reason,

Good crow wit that 's always burnished
Like the coat her care has furnished.

May thy numbers ne'er diminish,
I 'll befriend thee till life's finish.

May I never cease to meet thee,
May I never have to eat thee.

And mayest thou never have to fare so
That thou playest the part of scarecrow

SNOW-BIRDS

From out the white and pulsing storm
  I hear the snow-birds calling;
The sheeted winds stalk o'er the hills,
  And fast the snow is falling.

Like children laughing at their play
  I hear the birds a-twitter,
What care they that the skies are dim
  Or that the cold is bitter?

On twinkling wings they eddy past,
  At home amid the drifting,
Or seek the hills and weedy fields
  Where fast the snow is sifting.

Their coats are dappled white and brown
  Like fields in winter weather,
But on the azure sky they float
  Like snowflakes knit together.

I've heard them on the spotless hills
  Where fox and hound were playing,
The while I stood with eager ear
  Bent on the distant baying.

SNOW-BIRDS

The unmown fields are their preserves,
  Where weeds and grass are seeding;
They know the lure of distant stacks
  Where houseless herds are feeding.

O cheery bird of winter cold,
  I bless thy every feather;
Thy voice brings back dear boyhood days
  When we were gay together.

THE HEART O' THE WOODS

I HEAR it beat in morning still
When April skies have lost their gloom,
And through the woods there runs a thrill
That wakes arbutus into bloom.

I hear it throb in sprouting May —
A muffled murmur on the breeze,
Like mellow thunder leagues away,
Or booming voice of distant seas.

Or when the autumn leaves are shed,
And frosts attend the fading year,
Like secret mine sprung by my tread
A covey bursts from hiding near.

I feel its pulse 'mid winter snows,
And feel my own with added force,
When partridge drops his cautious pose,
And forward takes his humming course.

The startled birches shake their curls,
A withered leaf leaps in the breeze;
Some hidden mortar speaks, and hurls
Its feathered missile through the trees.

THE HEART O' THE WOODS

Compact of life, of fervent wing,
A dynamo of feathered power,
Thy drum is music in the spring,
Thy flight is music every hour.

TO THE OREGON ROBIN

O VARIED thrush! O robin strange!
Behold my mute surprise.
Thy form and flight I long have known,
But not this new disguise.

I do not know thy slaty coat,
Thy vest with darker zone;
I'm puzzled by thy recluse ways
And song in monotone.

I left thee 'mid my orchard's bloom,
When May had crowned the year;
Thy nest was on the apple-bough,
Where rose thy carol clear.

Thou lurest now through fragrant shades,
Where hoary spruces grow;
Where floor of moss infolds the foot,
Like depths of fallen snow.

I follow fast, or pause alert,
To spy out thy retreat;
Or see thee perched on tree or shrub,
Where field and forest meet.

TO THE OREGON ROBIN

Thy voice is like a hermit's reed
  That solitude beguiles;
Again 't is like a silver bell
  Atune in forest aisles.

Throw off, throw off this masquerade
  And don thy ruddy vest,
And let me find thee, as of old,
  Beside thy orchard nest.

Kadiak, July, 1899

TO THE GOLDEN-CROWNED SPARROW IN ALASKA

OH, minstrel of these borean hills,
  Where twilight hours are long,
I would my boyhood's fragrant days
  Had known thy plaintive song,

Had known thy vest of ashen gray,
  Thy coat of drab and brown,
The bands of jet upon thy head,
  That clasp thy golden crown.

We heard thee in the cold White Pass,
  Where cloud and mountain meet,
Again where Muir's great glacier shone
  Far spread beneath our feet.

I bask me now on emerald heights
  To catch thy faintest strain;
But cannot tell if in thy lay
  Be more of joy or pain.

Far off behold the snow-white peaks
  Athwart the sea's blue shade;
Anear there rise green Kadiak hills,
  Wherein thy nest is made.

TO THE GOLDEN-CROWNED SPARROW

I hear the wild bee's mellow chord,
  In airs that swim above;
The lesser hermit tunes his flute,
  To solitude and love.

But thou, sweet singer of the wild,
  I give more heed to thee;
Thy wistful note of fond regret
  Strikes deeper chords in me.

Farewell, dear bird, I turn my face
  To other skies than thine;
A thousand leagues of land and sea
  Between thy home and mine.

KADIAK, July, 1899

TO THE LAPLAND LONGSPUR

O THOU northland bobolink,
Looking over summer's brink,
Up to Winter, worn and dim,
Where he peers from mountain rim,
Out upon the Bering Sea,
To higher lands where he may flee,
Something takes me in thy note,
Quivering wing and bubbling throat;
Something moves me in thy ways —
Bird, rejoicing in thy days,
In thy upward hovering flight,
In thy suit of black and white,
Chestnut cap and circled crown,
In thy mate of speckled brown;
Surely I may pause and think
Of my boyhood's bobolink.

Soaring over meadows wild —
Greener pastures never smiled —
Raining music from above,
Full of rapture, full of love;
Sportive, gay, and debonair,
Yet not all exempt from care,
For thy nest is in the grass,
And thou worriest as I pass;
But nor hand nor foot of mine
Shall do harm to thee or thine;

TO THE LAPLAND LONGSPUR

Musing, I but pause to think
Of my boyhood's bobolink.

But no bobolink of mine
Ever sang o'er mead so fine —
Starred with flowers of every hue,
Gold and purple, white and blue,
Painted cup, anemone,
Jacob's ladder, fleur-de-lis,
Orchid, harebell, shooting-star,
Crane's-bill, lupine, seen afar,
Primrose, rubus, saxifrage,
Pictured type on nature's page —
These and others here unnamed
In northland gardens yet untamed,
Deck the fields where thou dost sing,
Mounting up on trembling wing;
While in wistful mood I think
Of my boyhood's bobolink.

On Unalaska's emerald lea,
On lonely isles in Bering Sea,
On far Siberia's barren shore,
On north Alaska's tundra floor;
At morn, at noon, in pallid night,
We heard thy song, and saw thy flight,
And I, while sighing, could but think
Of my boyhood's bobolink.

UNALASKA, July, 1899

THE RETURN

He sought the old scenes with eager feet —
The scenes he had known as a boy;
"Oh, for a draught of those fountains sweet,
And a taste of that vanished joy!"

He roamed the fields, he wooed the streams,
His schoolboy paths essayed to trace;
The orchard ways recalled his dreams,
The hills were like his mother's face.

O sad, sad hills! O cold, cold hearth!
In sorrow he learned this truth —
One may return to the place of his birth,
He cannot go back to his youth.

SURVIVING
THE CORONA
WAR

コロナショック・サバイバル

日本経済復興計画

冨山和彦 著
（IGPI代表取締役CEO）

文藝春秋

コロナショック・サバイバル
日本経済復興計画

目次

装丁　関口聖司

はじめに　破壊的危機に、どう対処すべきか

コロナショックがやって来た。新型コロナウイルスによるパンデミック（世界的大流行）で、少なくとも数カ月、場合によっては年単位で世界経済は生産と消費の両方を大幅に抑制せざるをえない情勢である。もちろん我が国の経済も。まさに破壊的な危機が私たちの生命と経済の両方に対して襲いかかっているのだ。

ここでシステムとしての経済が不可逆的なダメージを受けてしまうと、私たちの社会はパンデミックを克服した後に、今度は経済的な苦境に長期にわたって陥《おちい》ることになる。産《さん》学官金《がくかんきん》が力を合わせウイルスとの闘いと並行して、産業崩壊、金融崩壊、雇用崩壊、経済崩壊の危機との戦いにも勝ち抜かなければならない。今回の危機はその広さと深さと長さにおいて、リーマンショックといった今までの危機を上回る破壊性を持っている。

新型コロナウイルスとの闘いはグローバルスケールで長期戦の様相である。他のウイル

ス性疾患のパンデミックと同様、一定程度の集団免疫の形成とワクチンや抗ウイルス剤の開発と普及で爆発的な感染と重症化をコントロールできる状況になるまでは落ち着かないであろう。要は数週間でかたのつく話ではないということだ。

言うまでもなく、それまで人々の経済活動は生産サイド、消費サイドの両面で著しい制約を受け続ける。特に消費の消滅は企業の存続に直結する激しいインパクトを持つ。企業にとってキャッシュ流入の大半は売り上げによるものであり、それが消えるとあっという間にお金がなくなる、すなわち人間でいえば重度の失血状態になり、ここでキャッシュショートすれば直ちに「死」に至る危機に直面する。

この過酷な現実は企業の大小、業種を問わない。リーマンショックの時、米国において、巨額の販売金融債権（と債務）を抱えている自動車産業の需要が消え、世界最大級の企業であるGMやクライスラーがたちまち倒産した。経営基盤が極めて強固なトヨタでさえ北米で資金枯《こ》渇《かつ》の危機に遭遇し、急遽、奥田碩相談役（当時）が自ら動き、JBIC（国際協力銀行）の協力を得て巨額の資金を米国に送金している。

同じ頃に日本では、国際線中心で、もともと高固定費体質に喘《あえ》いでいたJALが需要の急減に直面し、やはり倒産に追い込まれた。2009年9月、私は故高木新二郎弁護士とともにJAL再生タスクフォースのリーダーとして弊社（IGPI）のプロフェッショナルたちとともに危機的状況に対峙《たいじ》したが、資金減少の度合いは凄まじく、月単位で最大800億円、毎日数十億円の現金が流出し、金融機関への元利支払いを止めてもあと一カ月余りでまったく資金が枯渇して給料も燃料代も払えなくなり、全面運航停止となり、かつてパンアメリカン航空が陥ったようにそのまま破産消滅する寸前まで追い込まれていた。

実際、今回のコロナショックでも、JALに代わってわが国の国際線のトップエアラインになったANAが、月間1000億円レベルの現金流出にさらされ、日本政策投資銀行から急遽《きゅうきょ》3000億円を借り入れるというニュースが先日、流れていた。

欧米の首脳はパンデミックとの戦いを既に「戦争（War）」（短期で終わる「戦闘（Battle）」ではない）と呼んでいるが、経済的にも戦時に入っていく可能性が高いのだ。そうなると企業経営における最大の課題はまず何よりもこの「戦争」を生き残ること、まさにサバイバル経営の時代に入るのである。

私がCEOをつとめる経営共創基盤（IGPI）は、わが国最強の企業再生プロフェッショナル集団であり、危機の時代のリアル経営における精鋭200名で構成されるプロフエッショナルファームと自負している。

約20年前の我が国の金融危機、そして約10年前のリーマンショック（世界金融危機）、東日本大震災と原発事故に続き、今再びコロナショックによる危機の時代。私を含む設立メンバーの出身母体である産業再生機構時代、そしてIGPIになってからの13年間を通じて、名前を出せる案件だけでも三井鉱山、カネボウ、ダイエー、ミサワホーム、地方バス会社群、日光鬼怒川の旅館群、JAL、東京電力、新日本工機、商工中金……私たちは数々の、そして多種多様な修羅場《しゅらば》をくぐって来た。

ある時は、アドバイザー、公的なタスクフォースや委員会のメンバーとして。ある時は、ハンズオン（参画）型で送り込まれた経営者、取締役、経営スタッフとして。またある時は、自ら対象企業を買収して経営し、さらにはその企業群の一部が大津波被害と原発事故に直接対峙することで。そこでIGPIのプロフェッショナルたちは、危機の時代における経営のリアルに直面し生き抜き、その後の再成長への転換点とする要諦《ようてい》を体得してきた。

今回のコロナショックは、その広さと深さと長さにおいて、過去の危機を上回る破壊性を持っている。その一方で、繰り返されてきた危機の底流においては、グローバル化とデジタル革命による破壊的イノベーション、産業アーキテクチャー（構造）の大転換も進行している。そこでは大きな産業やビジネスモデルが数年で消滅するような破壊的変化も起きている。イベント的な危機が発生しているときも、産業アーキテクチャーの転換が進行しているときも、いずれにせよ「破壊の時代」を私たちは生きているのである。

じつは今回のコロナショックが起きる直前から、私は、コーポレートトランスフォーメーション（CX）こそが、日本企業生き残りの今年最大のキーワードとなると確信していた。CXとは、破壊的イノベーションによる産業アーキテクチャーの転換が続く時代に、日本企業が会社の基本的な形、まさに自らのコーポレートアーキテクチャーを転換し、組織能力を根こそぎ変換することを意味する。

しかし、現実のCXを仕掛けるときに、じつは最初の難関となるのが「始動」だ。部分的にデジタルトランスフォーメーション（DX）を取り入れて業務改革を行うような話ならともかく、産業や事業が消えてしまうような劇的環境変化に対し、持続的に対応できる企業に進化することは、企業の根源的な組織能力の進化、多様化、高度化が求められる。そこに手をつけることは非常に大きなストレスを伴う、時間のかかる改革の始動になる。組織も人間も習慣の生き物である。何か大きなきっかけ、強烈な体験に遭遇しないと、本質的な改革を始動するのは難しい。

そこにコロナショックが突然襲来《しゅうらい》した。危機の経営の第一のメルクマール（指標）はなんと言っても生き残りである。同時により良く生き残る、すなわち危機が去った後に誰よりも早く反転攻勢に転じ、ＣＸによる持続的成長を連鎖的に敢行できるように生き残ることである。過去、危機の局面をその後の持続的成長につなぐことに成功した企業は、危機の克服や事業再生、すなわちＴＡ（Turn Around）モードを引き金としてＣＸ（Corporate Transformation）を展開した企業である。

コロナショックという破壊的危機の時代を生き残る修羅場の経営術を、喫緊《きっきん》に共有するべきであるとの使命感から、私は、本書（ＴＡ編）を約一週間で書き上げ、緊急出版することにした。なお、続編（ＣＸ編）も追って刊行される（２０２０年6月予定）。著者という形を取ってはいるが、本書は最強のマネジメントプロフェッショナルファームを代表して、約20年にわたり「破壊的危機」と「破壊的イノベーション」の時代を戦ってきた約２００名のプロフェッショナルたちの経験、方法論、ノウハウを凝縮して公開するものである。

昭和の後半の30年間、日本の経済と企業は戦後復興から高度成長を走り抜け、国内的にはバブル経済のピーク、国際的にはジャパン・アズ・ナンバーワンへと駆け上がった。ところが、次の平成の約30年間は、バブル崩壊と日本経済の長期不振、そして売り上げ成長、収益力、時価総額のあらゆる面で、日本企業の存在感が失われた時代となった。この間、中国など新興国企業の勃興《ぼっこう》もあったが、同じ先進国である米国や欧州の企業との差も大きく広がっている。

繁栄の30年、停滞の30年。そして年号が令和に代わり、まさに新たな30年が始まるタイミングで日本はコロナショックに対峙したのである。この苦難を乗り越え、かつ経済危機で色々なものが壊れるなかで、それをきっかけとして、新たな会社のかたち、あり方を創造できるか。より柔構造でしなやかで多様性に富み、新陳代謝力の高い組織体、企業体に大変容、トランスフォーメーションできるか。日本企業は再び、試されている。

危機はチャンスでもある。本書で紹介する経営的エッセンスを活用してもらい、今度こそ、大中小の規模を問わず多くの日本企業がこの危機を乗り越え、かつその後の抜本的な改革と成長機会を摑《つか》み取ることを切望している

2020年　4月15日

冨山和彦

第1章

L《ローカル》 → G《グローバル》 → F《ファイナンシャル》
経済は3段階で重篤化する

3月28日、私はNHKスペシャル「激震コロナショック～経済危機は回避できるか～」にゲストとして出演した。そこでも指摘したのだが、今回の経済収縮の原因と現在の日本と世界の経済構造からみて、危機の深刻化、重篤化は、前回のリーマンショックとは違う形で、より広い産業と地域を、より長期にわたって巻き込んでいく。時間軸的にはL（ローカル）な経済圏の中堅・中小のサービス業が打撃を受け、次にG（グローバル）な経済圏の世界展開している大企業とその関連の中小下請け企業へと経済収縮の大波が襲っている。この段階での衝撃を受け損ねると、次は金融システムが傷んで今度は金融危機のF（ファイナンシャルクライシス）の大波が起きかねない。

このメカニズムの理解は自社への被害の想定と対策を講ずるうえで重要なので、以下でより詳しく説明する。

L（ローカルクライシス）の第一波
——今回はまずL型産業が大打撃をこうむっている

今回の危機は、感染症リスクに備えるために人々が様々な経済活動を控えることから生じている点で実体経済から始まっている。金融サイドから始まった経済危機であるリーマンショックとは順番が逆であり、その分、私たちが受ける影響は直ちに強烈なものになる。

出入国制限はもちろん、外出制限までもがほとんどの国や地域でかかるなか、まず打撃を受けているのは、観光、宿泊、飲食、エンターテイメント、（日配品、生活必需品以外の）小売、住宅関連などのローカルなサービス産業である。これは私が以前からL型と呼んでいる経済領域であり、拙著『なぜローカル経済から日本は甦るのか』（PHP新書）でも述べた通り、こうしたL型産業群は今やわが国のGDPの約7割を占める基幹産業群である。しかもその多くが中堅、中小企業によって担われており、非正規社員やフリーターの多い産業でもある。今や日本の勤労者の約8割は中小企業の従業員または非正規雇用（裏返して言うといわゆる大企業、大組織の正社員は全体の2割くらいしかいない）が占めており、ローカルなサービス産業の危機は非常に多くの、しかも弱い企業や労働者とその家族を厳しい状況に追い込むメガクライシスなのである。

ＩＧＰＩグループでは再生支援をきっかけに東日本を中心に５０００人の従業員を抱える公共交通関連サービス（バス、鉄道、モノレール、タクシー、ホテルなど）を営む「みちのりホールディングス」を保有している。

実はリーマンショックの時にはこうした産業はあまり大きな打撃を受けなかったが、今回、観光貸し切りバスや高速バスなどは今年の2月頃から大きな売り上げ減少に直面している。もちろん、（後で詳しく説明するが）みちのりグループは、業界の中でトップクラスの財務体力と生産性を有しているので、今回の危機でもびくともしない。むしろ長い目では更なる展開とイノベーション推進のチャンスとなりうると考えているが、特に中小零細企業の多い貸し切り専業のバス会社や旅行業者にとっては、極めて厳しい環境が続くだろう。

リーマンショックや東日本大震災の経験が生きていることもあり、政府は直ちに資金繰り支援のための緊急融資枠の拡大や雇用調整助成金の補助率や補助要件の緩和、そして１０８兆円の大規模な緊急経済対策を策定するなど、中小企業向けを中心に比較的迅速な対応を行っているので、今（4月上旬の時点）のところ関連産業、関連企業はなんとかパニックにならずに持ちこたえている。

4月7日、東京などの大都市部を中心とした感染拡大を受け、安倍首相が緊急事態宣言を発出した。対象地域では、人が密閉空間に密集、密接するタイプの業種に対するより広範な休業要請、住民の不要不急の外出抑制要請が行われたが、こうした休業要請対象の多くはやはりこうしたローカルサービス業であり、当面、1カ月とは言え、売り上げはほぼゼロになるわけで、今後、打撃はますます深くなる。

まずは人の生命を守るために感染拡大の抑制が優先されるべきことは当然だが、8割の国民の生活と人生に直結するローカル経済圏がここまで大きく傷むことは、リーマンショックの時にはなかった。そして、今回のコロナショックでシステムとしてのローカル経済圏が壊れてしまう、具体的には無秩序に大量の倒産や廃業が起き、大量の失業者が生まれ放置され、産業構造自体が壊れてしまった場合、その打撃は大きく、深く、再生・回復に長期間を要することになるだろう。

リモートワークやネット宅配の市場が伸びているから何とかなる、みたいなことを言っているお気楽な連中がいるが、リアルなローカルサービス産業が吸収している雇用はまさに膨大で、おそらく二桁くらい違うオーダーの世界を比較して代替を期待する議論はナンセンスである。実はこのようなL型経済圏がＧＤＰや雇用の大半を支える構造は欧米も共通であり、まさに先進国共通のグローバルなメガクライシスなのである。

かかる不可逆的なダメージを回避する最良の経済対策は一日も早いパンデミックの収束だが、その前にシステムとしての経済が壊れてしまうと、パンデミックを乗り越えても多くの人々が人生や生活の再建に苦しむことになる。

Ｇ（グローバルクライシス）の第二波
――「需要が消える」Ｇ型産業の大企業とその関連企業へ波及

自動車や電機などのグローバル大企業の領域では、流行源である中国の生産が止まったことによるサプライチェーン（供給網）ショックに注目が集まってきた。しかし、これは危機の序章に過ぎない。本当に怖いのはこれからやってくる急激な消費停滞による需要消滅、売上消滅のショックである。

リーマンショックの時も真っ先に消えた需要は、耐久消費財とその関連の設備投資や部品供給、材料供給の需要だった。将来に大きな不安を持った時、ましてや自分の生命や生活がリアルにおびやかされている時に、人はわざわざ高価な耐久消費財は買わない。もともと耐久消費財の需要のほとんどは買い替え需要である。二年や三年、今使っているもので我慢すればすむ。高いものから順に、すなわち自動車や住宅関連、次に電機製品、さらには衣料品という順番で猛烈な買い控えが起きるだろう。ネットショッピングが伸びているなんて話はまったく関係ない。外出できないからではなく、将来へのシリアスな不安があるから買わないのだから。そしてこのショックは関連の設備投資、ＩＴ投資や部品・材料を提供している企業にも直ちに波及する。

　売り上げの消滅はキャッシュ流入の消滅である。中小企業は言うにおよばず、トヨタのような超優良大企業でも手元現預金はせいぜい売り上げの2カ月分くらいしか持っていない（33ページ図表1参照）。固定費見合いのキャッシュ流出はそう簡単に大幅には減らせないので、売り上げが大幅に落ち込むと、どんな大企業であっても本当にあっという間に手元資金は枯渇する。先述のＪＡＬの話はまったく他人事ではないのだ。パンデミックが長引き、需要消滅が長引くほど「足らず米」の金額は巨額に積み上がっていく。これを融資やＣＰ（コマーシャルペーパー・資金調達のための短期無担保手形）などの借金で埋めるとすれば、巨額の借金が積み上がっていくことになる。それはやがて企業の存続、持続性を蝕んでいく。

我が国の地域経済には、まだまだこうしたグローバル大企業のすそ野にものづくり産業が残っているが、このショックはそれを担っている地域の中堅、中小製造業にも大きな打撃を与える。Gの世界を襲う経済的な津波の第二波の余波が、今度はLの世界をさらに痛めつけるのである。

厄介なのは、この第二波は日本自身が国内の爆発的感染をうまく抑え込めても、主要市場である欧米で今のような状況が続き、後述する中国が爆発的な大量消費モードに戻らなければ、日本のグローバル大企業や関連する地域の中堅・中小企業に押し寄せてしまうことである。

先述のANAなど、エアライン産業が既に危機的状況になっていることに加え、自動車、電機、機械、総合商社など、多くのグローバル企業が業績予測の下方修正や3月期決算発表の延期、来期予想数字の発表取りやめなどを表明している。第二波はすでに押し寄せつつあり、世界スケールのパンデミックが長期化するほど、そのマグニチュードは巨大化する。

自動車産業などは先に感染症の流行で生産ができなくなるサプライチェーンショックが起きたので、ほんのしばらくの間は受注残をこなすために工場が稼働するかもしれない。

しかし、オリンピックはもちろん、テニスのウィンブルドン大会は中止、ゴルフの全米オープンなど欧米の大きなスポーツイベント、音楽イベントなどは多くが秋以降に延期されていることから分かるように、これから直面する需要消滅、売上消滅はかなり長期化することを覚悟せざるを得ない。それはグローバルスケールでのキャッシュ不足との闘いの長期化を意味する。

そう、コロナショックによる経済危機は、Gの世界とLの世界の両方に深いダメージを負わせる可能性が高いのだ。

F（ファイナンシャルクライシス）の第三波
——資金繰り問題のソルベンシー問題化と逆石油ショックによる金融危機リスク

今年（2020年）の3月末前後、年度末の資金繰りを巡る話題がメディアや国会で大きく取り上げられていた。コロナショックが数週間から一カ月ほどの短期決戦で、生産停止や売り上げ減少・消滅が短期的であれば、危機は資金繰り融資、すなわち流動性の確保だけで乗り切れる。例えばサプライチェーンショックで部材が来なくて工事が完了せず代金回収が出来ない工務店の場合、これは「増加運転資金」に対応するつなぎ融資であり、モノが来て工事が完了して施主が工事代金を払ってくれればすぐに返済でき、問題はきれいに解消する。

しかし、そもそも売り上げが消えてしまう、それも数週間ではなく、数カ月、半年、一年という単位で続くと、そこで生じる資金繰り融資は「赤字補てん」融資となり、売り上げが戻らない間はどんどん借金として積み上がっていく。時間が経過するほど借金は重くなる一方で事業は傷んでいき、返済能力はむしろ弱まって、回収見込みが低下して不良債権化する可能性が出てくる。

専門用語で言うと、「流動性（資金繰り）問題」が「ソルベンシー（弁済可能性）問題」に転化する危険があるのだ。そうなると今度は金融機関側のバランスシートが傷みだし、信用創出能力が毀《き》損《そん》して金融収縮が始まり、ますます実体経済を収縮させる悪循環が生まれかねない。30年前のバブル崩壊から始まり解決に10年以上を要した日本の金融危機も、10年前のリーマンショックも、最後は流動性リスクからソルベンシーリスクへと、いわば「悪性」転化して金融システム全体が機能不全に陥るシステミックリスクに発展している。今回はソルベンシーリスクがL型産業でも起きる可能性があり、地域金融機関もシステミックリスクに巻き込まれる危険性がある。

加えて、この局面で気持ち悪いのは、ロシアとサウジアラビアによる増産競争がもたらす原油価格の暴落という「逆オイルショック」現象である。ここ数年、オイルマネーはいわばＡＩバブル、シェアリングエコノミーバブルを支える世界最大のリスクマネー供給源であったし、米国では金融緩和マネーと原油高の恩恵でシェールオイル、シェールガスなどのエネルギー関連産業が借金に大きく依存する形で成長を遂げ、産業サイドのレバレッジがかなり高くなっている。コロナショックでただでさえ実体経済サイドの石油需要は低迷するだろう。４月12日に米国も含めた15％の大幅減産合意が一応、成立はしたが、今後もこの問題はくすぶりつづけるだろう。原油価格の下落状態が長引くと、世界の金融資本市場でこうしたリスクマネー、レバレッジマネーが一気に逆回転し始める危険性があるのだ。

かかる状況でコロナウイルスとの闘いが長引き、大規模な金融危機を誘発し、それがF（ファイナンシャルクライシス）の第三波となって襲来すると、経済システムの血液であるマネーを循環させる「心臓」までもがひどく傷んでしまい、これがさらに実体経済を痛めつける負の連鎖に入ってしまう。

今回は中国頼みの回復に大きくは期待できない

10年前のリーマンショックからの回復局面において、高い成長力と潤沢な財政出動で中国が果たした役割は小さくなかった。しかし、現在、中国経済は当時のような「高度成長」から「安定成長」段階にシフトしており、前回ほどの世界経済牽引力を期待するのは難しい。

財政的にも以前ほどの財政出動余力はないと言われているし、何よりも今回のコロナショックは中国自身が発生源であり、移動抑制などで感染の再拡大を抑え込んでいる状況は当分続くだろう。感染症への潜在的な恐怖感は人々の脳裏からそう簡単に消えるものではない。大半の感染者が軽症で済んでしまう今回の感染症の特性上、ウイルスがどこかに潜んで再び爆発的感染拡大が始まるリスクをゼロにすることは難しい。そのなかで中国の人々がかつてのような爆発的な消費力を取り戻すことは容易ではないだろう。

加えて、中国経済は日本以上に米国をはじめとする対先進国輸出に依存しており、上述のGの世界の第二波の打撃を我が国以上に受ける可能性もある。当初、生産活動が止まってG型産業におけるサプライチェーンショックの発生源になった中国だが、今度は新型コロナウイルス感染症がパンデミック化したことによる需要消滅ショックの返し波の衝撃を受けることになるのだ。

リーマンショックは米国のウォール街や欧州の金融市場が震源であり、資本自由化に消極的で、ある意味、世界の金融資本市場から隔離されていた中国経済への影響は限定的だった。しかし、今回はそうはいかないのである。コロナショックの影響は、地理的な意味でも世界中ほぼ例外なく及んでいく。まさにウイルスと同じく、経済的なパンデミックとなって世界のすみずみにまで大きな打撃を与える性格を持っているのだ。

要注意・ダメージが長引くリスクがあるのはGとF、そして外需依存型のL

現時点（4月中旬）において、本書が出版される予定のゴールデンウィーク明けの頃には、4月7日の緊急事態宣言が功を奏して、コロナウイルスの爆発的感染が抑え込まれていることを祈ってやまない。

しかし、そうなったとしてもL型経済圏の日常消費型のビジネスはある程度回復することが見込まれるものの、耐久消費財や国際線エアラインのようなG型経済圏のビジネスが戻るには、世界レベルでパンデミックに終息感が出てこないと厳しい。それとインバウンド向けのホテルや観光業など外需依存型のL型ビジネスも同様に苦戦が続くだろう。

世界のGDPの約25%を占め、世界最大の耐久消費財市場である米国は、既に爆発的感染による大きなダメージを受けている。人々の心理がウイルスへの恐怖感から解放され、これまた爆発的に上昇中の失業率が下がり、健康面、経済面の両方で安心感が出てくるのはかなり先である。次に大きな消費市場である中国についても、瞬時にかつてのような爆買い消費が戻ってくるとは思えない。もちろん人口当たり死亡率でもっとも厳しい状況の欧州は言うに及ばない。要するに、世界中の人々がコロナショックの前のように耐久消費財や住宅を旺盛に購入し、そのための設備投資が行われ、観光やビジネスで海外旅行をどんどん行うようになるには、おそらく年単位での期間を要するのだ。

製造業やエアラインは元々、固定費の高いビジネスである。長期的な売上減少が続くと、資金繰り融資で何とか破綻は回避できても財務体質がどんどん悪化していく。要は企業としてのサステナビリティに黄色信号が灯りだす。米国などでは、リーマンショック以降、民間部門のレバレッジ（借入比率）は金融緩和による低金利に支えられて一貫して上がっ

アメリカの企業債務残高と対ＧＤＰ比

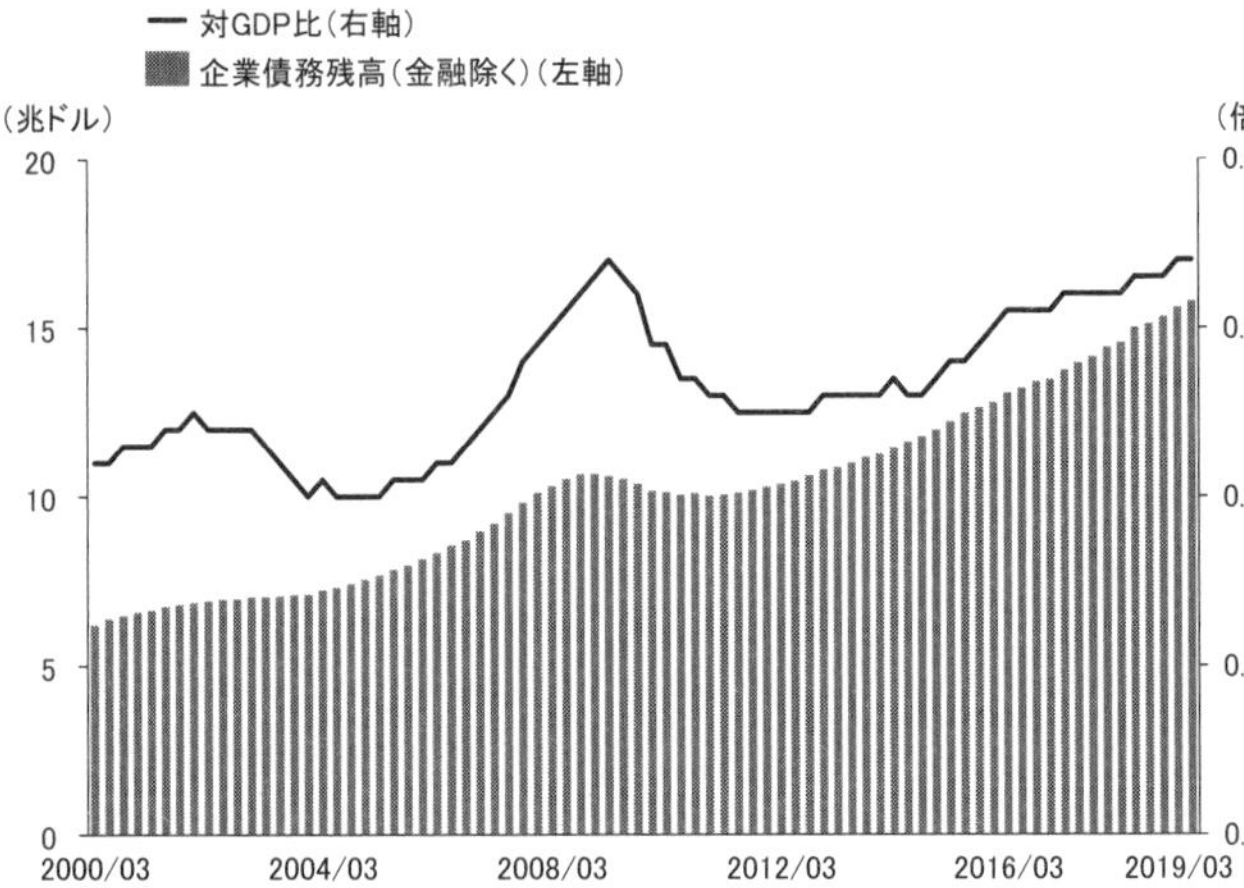

出典：FRB及びBISよりIGPI作成

ており（上のグラフ参照）、借り手の主役は不動産業（特にオフィスやホテルなどの商業用）とエネルギー（シェール関連や再生エネルギー）であり、こうした産業も需要減による稼働率低下や価格下落で厳しい状況に晒《さら》される。そこで借入比率が高いということは、すぐに弁済不能状態、デフォルト状態に陥りやすいことを意味する。

こうした状況が続き、問題がFの世界、すなわち金融危機の段階まで行くと、せっかくパンデミックが終わって前向きの資金（設備投資資金ローンや住宅ローン、自動車ローンなど）が必要なときに民間の金融機関が十分な信用創造機能を果たせず、経済回復の足を大きく引っ張ることになる。また金融危機のダメージは主に金融機関のバランスシートの中に刻み込まれるので、何がどこまで傷んでいるのか見えにくく、それがまた疑《ぎ》心暗鬼《しんあんき》を生んで、信用収縮を生むという悪循環に入りやすい。1990年代の日本の金融システムはまさにこの悪循環に陥っていた。

私は、これから本格化するGの世界の第二波をどう受け止めるか、が勝負だと思っている。これを受け損ねると、次に世界経済は第三波、Fの危機となり、本当に回復が難しくなる。世界の産学官金が力を合わせて、何としてもGの第二波で経済危機を収束させることが肝要である。過去30年間でもっとも多くの経済危機を経験したのは日本経済である。本来、日本には、その経験を活かし、世界の経済危機の重篤化を回避するリーダーシップを発揮するチャンスが来ているのだ。

第2章

企業が、個人が、政府が生き残る鍵はこれだ

新型コロナウイルスの本格的な収束の目処が見えない現在の状況で、不確実な未来の当てっこをしてもしょうがない。ここまで書いてきたことも、基本は過去の経済危機や大きなリスクイベントが起きた歴史から学ぶと、かくかくしかじかの可能性が高い、というだけの話ではある。しかし、ドイツの鉄血宰相《てっけつさいしょう》、ビスマルクのごとく「歴史から学ぶ賢者」に少しでも近付こうとするならば、今、過去の危機の歴史から学ぶことは、極めて重要である。

危機の経営においてはこれから起きうることに対する想像力、対応策の効果に対する想像力が極めて重要になる。なぜなら危機は新しい形で想定外のところから突然やって来るから。なにかのイベントに対してあらかじめ用意してあったマニュアルで対応できる場合は危機的状況を生まないのである。ソリッドな計画はワークせず、十分な情報と検証データに基づいた判断ができない状態が本当の危機なのだ（だから危機対応としてＢＣＰすなわち事業継続「計画」を緻《ち》密《みつ》に組んでおく、というのはやや概念矛盾）。危機の襲来に対峙し、これから起きることに対して最善の準備と最良の決断をするには、なんと言っても想像力が重要であり、歴史はまさに想像力の基盤になるのである。「歴史から学ぶ」とは「歴史から想像する」と言い換えてもいいのかもしれない。

新時代の幕開けに世界的リスクイベントあり

１００年前のスペイン風邪の世界的流行時はまさに第一次世界大戦のさなかであった。この時期を境に世界の覇権国は英国から米国にシフトし、同時期に東にもう一つの覇権国、ソ連が誕生している。

その後、１９２９年に米国で始まった世界大恐慌は、ナイーヴな自由放任型資本主義の終焉を招き、その後の全体主義の台頭による第二次世界大戦、さらには戦後の社会主義体制の隆盛、さらには自由主義諸国との冷戦時代への起点となっている。

最近で言えば、昭和から平成に移る１９９０年ごろに、おそらく当時の時点で戦後に人類が経験した最大級のバブル経済であった日本のバブルが崩壊。同時にヨーロッパではべルリンの壁の崩壊による古典的な社会主義体制の終焉《しゅうえん》という大イベントが起きた。中国で天安門事件が起きたのも同じ頃である。そしてＥＵ統合が続く。いわゆるグローバリゼーションの大号砲がここで鳴ったのである。この時期は同時にジャパン・アズ・ナンバーワンと言われた日本的経営や日本型カイシャモデル、さらには護送船団行政型産業政策の隆盛期の終わりの始まりであった。

その10年後の２０００年前後には、日本では山一證券や長銀が破たんするなど金融危機がいよいよ深刻化し、アジアでは通貨危機、米国ではドットコムバブルが崩壊する。その頃からいわゆるＧＡＦＡなどのデジタルプラットフォーマーの勃興が顕著となり、デジタルエコノミーへの破壊的な産業構造転換が確固たる流れとなった。

そして約10年前のリーマンブラザーズによる世界金融危機を境に中国が世界経済の牽引車として大きなプレゼンスを確立していく。一方、デジタル革命の直撃を受けてきたが、抜本的なビジネスモデルと会社のかたちの転換ができないまま、後ろからは韓国、台湾、さらには中国などのものづくり新興企業の猛烈な追い上げにあい、前にはデジタルプラットフォーマーに道を塞がれた多くの日本のエレクトロニクスメーカー、特に大量生産の最終製品組み立てモデルのＡＶ機器、家電製品セットメーカーの退潮は決定的となった。

この様に危機の時代は、同時に政治や経済や産業の大きなパラダイム転換の起点、あるいは分岐点になっている。危機によって既存の仕組みが壊れ、既得権者が大きく傷み、色々なことが流動化するために、大きな変化が起きやすくなるのだ。今回のコロナショックも、後から振り返ると世界にとっても日本にとっても大きなパラダイム転換のきっかけ、新しい時代の幕開けとして振り返られる可能性は高い。

危機に遭遇したリーダーは、今、目の前にある危機を生き残ることと同時に、パラダイム転換後の新しい通常、すなわちニューノーマルを展望、想像、妄想さえもして色々な準備を仕込んでおくことも求められている。妄想、もう少し品のいい表現をするならビジョンだが、もちろん根拠なき妄想ではなく、歴史法則とファクトとロジックに基づいた妄想である。私が今、思い描いている妄想については、あとでいくつかご紹介する。

誰が生き残る確率が高かったのか？

妄想に進む前に、まずは今、目のまえにある危機の生き残りに関するほぼ確実な歴史的教訓である。まさに「歴史は繰り返す」。繰り返されてきた歴史からの教訓である。

経済危機というのは津波のように突然襲ってくる。そしてやがて必ず去っていく。津波に襲われている間、今回のパターンでいえば売り上げが激減している間、収入を失い、キャッシュの流入が止まった企業は、まさに呼吸困難に陥るわけで、先に酸欠になった企業から倒れていく。

過去の経済危機の歴史において、同じ業種でも企業の生死を分けたのは、要するに危機到来時における、手元流動性（現預金）の潤沢《じゅんたく》さ、金融機関との従来からの信頼関係、そして平時における稼ぐ力（特に営業キャッシュフローの厚み）と自己資本の厚み、以上である。

手元の現預金は緊急時の酸素ボンベみたいなものである。トンチンカンなアクティビストの言うがままに気前よく現金を吐き出して配当や株式の買い取り償却をやっていると、いざという時の酸素ボンベがなく、津波の襲来中にあっという間に窒息することになる。会社がつぶれた時に真っ先に株が紙切れになるのは株主自身だ。歴史的な教訓として10年に一度くらいの頻度で大きな危機はやってくる。経営者は、株主のためにも一部のアクティビストの愚かで近視眼的な主張に惑わされるべきではない。

経済危機が本格化するといわゆる資本市場も機能停止していく。大企業でもＣＰで短期

図表１　現預金保有高世界ランキングトップ20リスト（2019年）

社名	所在国	現預金残高（兆円）	ネットキャッシュ（兆円）	売上高月数（月）
アップル	アメリカ	5.3	-0.8	2.2
サウジアラムコ	サウジアラビア	5.2	1.4	1.9
中国建築	中国	5.1	-1.7	3.1
トヨタ自動車	日本	4.7	-14.3	1.9
アッヴィ	アメリカ	4.4	-2.9	14.5
ＧＥ	アメリカ	4.0	-1.0	4.6
アマゾン	アメリカ	4.0	-0.9	1.6
碧桂園	中国	3.9	-1.8	6.1
ソフトバンクグループ	日本	3.3	-11.7	4.2
フォルクスワーゲン	ドイツ	3.2	-19.0	1.2
ホンハイ	台湾	3.1	0.9	2.0
アリババ	香港	3.1	1.1	6.0
トータル	フランス	3.0	-3.4	1.9
チャイナモバイル	香港	2.8	5.4	2.8
万科	中国	2.6	-1.5	5.4
サムスン電子	韓国	2.5	8.5	1.4
本田技研工業	日本	2.5	-4.9	1.9
中国中鉄	中国	2.5	-1.0	2.2
ＢＰ	イギリス	2.5	-6.0	1.0
中国鉄建	中国	2.5	-0.6	2.2

出典：SPEEDAよりIGPI作成

◆金融機関を除く
◆ネットキャッシュ＝現預金＋短期性有価証券－有利子負債残高
◆売上高月数＝現預金÷１月当たりの売上高

資金を取るのが次第に難しくなる。そこで最後に頼りになるのはやはり銀行である。一刻を争う時に少しでも早く融資を受けようと思ったら、日常からの良好な信頼関係があり、銀行が会社のことを長期的にモニタリングしている方が、銀行側としても審査を優先するし決裁も早い。

また、平時において業績水準が高い企業、特に売上高に対する営業キャッシュフローマージン率あるいはＥＢＩＴＤＡ（税引前利益に支払利息、

◆アメリカ

社名	EBITDA （兆円）	EBITDA マージン （％）	有利子負債 /EBITDA （倍）
アップル	8.5	29.6	1.41
マイクロソフト	6.5	46.1	1.35
ＡＴ＆Ｔ	6.0	30.4	3.36
アルファベット	5.4	30.3	0.33
ベライゾン	4.8	33.4	3.02
エクソンモービル	4.3	15.6	1.18
アマゾン	4.0	13.0	1.73
シェブロン	3.9	25.4	0.76
インテル	3.8	48.5	0.83
コムキャスト	3.8	31.7	2.96

減価償却費を加えて算出される利益）マージン率の高い企業の方が、業績が急降下した時の水準は同業他社よりも高いレベルにいられる。キャッシュの流出量は固定費的キャッシュ流出と売り上げ減少で少なくなったキャッシュ流入との差分、マージンで決まるので、平時において売上高に対する営業キャッシュフローマージン率が高い企業、例えばこれが20％ある会社は20ポイント低下してもまだトントンでいられるが、5％しかない会社はマイナス15％となり巨額なキャッシュ流出が起きる。当然、ＰＬ（損益計算書）も悪化してどんどん自己資本を食いつぶすので、金融機関としても融資が難しくなる。

結局、危機に強い会社は平時において良い

図表2　EBITDA額ランキング日米トップ10比較（2019年）

◆日本

社名	EBITDA（兆円）	EBITDA マージン（%）	有利子負債/EBITDA（倍）
トヨタ自動車	4.3	14.1	4.73
ソフトバンクグループ	4.0	42.2	3.87
ＮＴＴ	3.0	25.5	1.42
ＫＤＤＩ	1.6	31.0	0.81
三井住友ＦＧ	1.5	25.9	14.99
ＮＴＴドコモ	1.5	30.7	0.04
本田技研工業	1.4	9.1	5.11
三菱ＵＦＪＦＧ	1.4	21.2	22.25
ソニー	1.3	14.6	1.07
日産自動車	1.2	10.5	6.59

出典：SPEEDAよりIGPI作成

経営、フローにおいては高い利益（マージン）水準、ストックにおいては厚い自己資本を持っている会社なのである。

言い換えれば、危機においてこそ、普段からの本質的な経営水準、経営体力の差が顕在化し、優勝劣敗が起きやすい。これまたウイルス性疾患《しっかん》と同じで、感染時に重症化しやすい企業はもともと基礎疾患を抱えている企業なのである。その意味では良い経営をしている企業にとって、もちろん絶対的な業績数値は急降下するので大変な局面ではあるが、相対的にはシェアを伸ばし、競争相手を駆逐《くちく》し（場合によっては買収し）、優位性を強化するチャンスでもあるのだ。

図表1・2を見れば、コロナショックを生

き残り、さらに強くなっていく企業は、世界、米国、日本でどこになりそうか、容易に想像がつくだろう。

日本の金融危機とリーマンショックの歴史が示唆する学びとは

さあ、ここからいよいよ、私たちＩＧＰＩプロフェッショナルが実際に経験してきた危機の経営史、「臨床経験」からの具体的な示唆、経営者にとってのサバイバル成功の心得である。

修羅場の経営の心得（1）——想像力

最悪の想定を置き、最善の準備をせよ

危機時において楽観的な想定を置いて対策を講じていると、現実が厳しい方向に転換した時に施策が後手に回り、戦力の逐次投入になり、会社はじわじわと、やがて坂道を転げ落ちるようにどんどん窮地に追い込まれていく。現場の社員や取引先、外部株主や金融機関は、見通しが甘くて緩い経営者、経営陣を信用しなくなり、組織の士気は下がり、取引条件は悪化し、上場企業であれば株は売り込まれ、監査法人からは決算について適正意見が出なくなり、ますます信用を毀損していく。

人間というのは弱いもので、最悪の事態を具体的に想定するのは考えるだけでも恐怖であり、大変なストレスを感じる。それこそ最悪の想定においては、金融機関への借金の減《げん》免《めん》要請や従業員のリストラ、最後はそのために法的整理の申し立ても視野に入れることになる。そんなホラーシナリオを描くときに経営トップが感じるプレッシャー、ストレスは大変なものがある。

私自身も昔はそういう立場だったが、中小企業の経営者の中には会社の借金に個人連帯保証を入れている人も少なくないので、ホラーシナリオに対する恐怖感はさらに凄まじい。だから人間の自己保存本能として、そんなことを考えないようにする心理的なブレーキがかかる。これはトップだけでなく、会社のメンバーは誰しもそうなので、組織全体にそういう空気が漂いやすい。するとその空気に流されて漫然と楽観シナリオをメインストーリーに物事が決まっていく。

最後の局面でこの空気に楔《くさび》を打てるのは、やはりトップリーダーだけである。トップ自身が最悪の想定を置いて周到に最善の対策メニューの検討、準備を指示する。危機に強い人間というのは、不屈のファイティングスピリットに加え、様々なシナリオを考え、先を読み、二重、三重に対策、プランB、プランC……とコンティンジェンシープラン（想定外事態へ備えた対応策）を準備しておく周到さをもっている。そこまでの準備をした上で、結果的にそのメニューを使わなくて済む、「杞《き》憂《ゆう》で終わって良かったね」となるのが最良の展開である。最悪の想定を前にして、かえってアドレナリンが出て戦闘意欲がわき、副交感神経が活性化して頭は冷静に冴えわたるタイプの経営者、経営チームが危機の経営を生き残るのだ。

かつて、食品偽装問題をきっかけに経営危機に陥った某名門食品企業のトップが、しつこく質問に食い下がる記者団に対して「私だって寝ていないんだ！」と言い放ち、その様子がテレビ等で流され、信用毀損を加速させてしまった事案があった。真に危機向きの人間は、こういう時こそ一週間くらいほとんど寝ていなくてもパフォーマンスは落ちない。それどころか、普段よりもパワーを増すものである。とにかくタフ。米国の人気ドラマ「スーツ」の主人公、ハーヴィー・スペクター弁護士のあの感じである。

修羅場の経営の心得（２）――透明性

りそな再建の教訓：Bad News をあからさまにせよ、信用毀損をおそれるな

２００３年にりそな銀行が経営危機に陥って公的資金で国有化され、ＪＲ東日本から細谷英二さんが経営者として入った。当時、小泉政権においては、竹中平蔵金融担当大臣のもとで約60兆円の金融機関向けの資本注入枠を含むいわゆる金融再生プログラムが動いており、りそな銀行への資本注入もこのプログラムを活用したものである。

私は同じく小泉政権で谷垣禎一産業再生担当大臣のもとに設立され、10兆円の事業会社向け資本注入枠を持つ産業再生機構の実務トップであり、極めて近い場所で仕事をしていたが、金融関係者は「金融は特殊で業界の人間でないと再建は無理」「りそな銀行にはたくさんの地雷があってきっと吹き飛ばされる」「あの公的資金は永久に返済できない」という声が聞こえてきた。

そこで細谷さんがまず手をつけたのが、極めて厳しい自己査定を行い、隠れていた問題、Bad Newsを徹底的に表に出すことだった。本当に「ここまでやるか!?」という厳しい資産査定で、当時、注入された公的資金２兆円を使い切る巨額の損失額を一気に引き当てた。

経営が苦しくなるとトップに上がってくる話の大半は悪い報告である。これ以上悪い話が増えると本当に会社は破たんするのではないか、こんな話が外に漏れたら評判や信用を毀損して事業が持たなくなるのではないか、人心が離れていくのではないか、といったことが頭をよぎる。債権者や株主への説明や場合によっては記者会見を開かされて世間の厳しい批判にさらされる。今どきはネットにもあることないこと書きたてられる。この思いは経営の上層部に共通する恐怖感であり、空気感でもある。自然、蓋をできるBad Newsには蓋をしてほとぼりがさめるまで隠そうという気分が生まれる。現場にも同様の忖度《そんたく》が働き、悪い話は間引きして上層部に上げることが習慣化する。当時、不良債権問題に苦しんでいた銀行にも、経営不振に苦しんでいた事業会社にも、こういう傾向は共通していた。

しかし、経営危機に際して、企業に致命傷を与えかねない重大なBad Newsこそが重要なThe Newsなのである。これを抜きに意思決定をすることは致命的な間違いを起こす可能性が高い。また、そういう隠しごとは所詮じわじわと滲み出るもので、そこから生じる噂が企業の信用をさらに毀損していく。透明性から逃げると、隠し続け、嘘を雪だるま的につき続け、やがて破滅に向かうことになる。いったんやり過ごせたようにみえても、あのオリンパス事件のようにいつか地雷は爆発する。

　細谷さんが、企業再生、危機の経営の最初の局面で、こうした悪弊《あくへい》を一掃し、勇気を持って実態をあからさまにして、自分たちの傷み度合いを組織の内外に知らしめたことは、当時の金融界の空気の中では極めて画期的なことだった。やはり色々な闇を抱えていた国鉄改革の修羅場を経験された細谷さんだからこそ完遂《かんすい》できたのかもしれない。

　信用というものは、情報に疑義《ぎぎ》がある、本当はもっとヤバいことが隠れているのではないか、という疑念から毀損する。そもそも自らの傷み度合い、病状について、組織構成員とステークホルダーが正しい共通認識を持たなければ、厳しい治療には挑めない。

　その後、厳しい査定によって不良債権であることが明確化された貸し出し先企業の再生、再編の多くで、私たちは一緒に汗を流すことになったが、そうした企業も、厳しく事業と財務の実態を精査して問題をあからさまにすることで、真の再生へスタートを切っていった。こうした再生企業の多くは、本来の収益力と企業価値を取り戻し、その数年後、りそな銀行としては、当初の損失引当から数千億円の大きな戻り益を手にするのである。「金融の素人」であったはずの細谷さんの大改革によって、りそなは企業文化を含めて見事に再生、いや新生し、公的資金も2015年に完済してしまった。惜しむらくは細谷さんご自身がその前の２０１２年に67歳の若さで逝去されたことである。

修羅場の経営の心得（３）——現金残高

短期的なＰＬ目標は本気で捨てろ。日繰りのキャッシュ管理がすべてだ

生き残りの闘いにおいて、ＰＬ上の前年比売り上げがどうの、利益がどうの、という議論は、はっきり言ってどうでもいい。これは事業部単位、海外の拠点単位でも同じ。管理指標とすべきはなんと言っても存続の命綱であるキャッシュである。

そうは言っても、平時に使い慣れた指標であるＰＬ目標を捨てるのは、経営陣にとっても、財経部門にとっても、そして事業部サイドにとっても容易ではない。ＰＬを改善することで「病状」が良くなっていると安心したいという思いも生まれる。

しかし、売上を増やすために売掛を増やせばむしろ会社のキャッシュポジションは悪くなる。自動車でいえば、販売不振を解消するために自動車ローンの審査を緩和し、おまけにキャッシュバック値下げまでやると、売り上げは立ってもキャッシュは入ってこない上に、ローン債権が不良化して最悪の展開になる。利益を増やすために生産数量を増やして

コスト単価を下げても、それで在庫が増えれば手元キャッシュは減ってしまう。仕入れ単価を下げるために即時現金払い仕入れにしても、利益は増えるが資金回転が悪化してやはりキャッシュポジションは悪化する。

ここはどんなことをしてでも、それでPL上の売り上げが減少しようが、大赤字になろうが、キャッシュポジションの改善を優先することを、企業活動のあらゆるレイヤー(層)で徹底すべきである。

そして、キャッシュ残高というものは危機時においては日繰りで管理されなくてはならない。キャッシュショートは月間でもっとも残高が減少する日に起きる。日本国内では月末よりも給料支払いの25日がボトムのケースが意外と多い。世界のどこかでその日に支払い不能、決済不能が起き、その噂がネットなどを通じて広がれば、巨大企業でもあっという間に信用不安に巻き込まれる危険性がある。月末残高の予測をみて安心してはならない。

しかし、そもそもほとんどの企業において、ある意味当然だが、日常的なモニタリング指標のほとんどはPLベースになっている。そこに突然の経済危機によって急激な売り上げ減少が起きて、みるみるキャッシュが流出しても、実際のところ会社のどこで、どんなルートで流出しているのか、即座には分からないケースは多い。スーパー外科医のドラマで手術中に突然の出血が起きたが、それがどこで起きているのか分からない！　みたいな状況である。これが起きる危険性は、実は中小企業よりも大企業、ドメスティックな会社よりもグローバルな会社の方が高い。出血の可能性のある個所が多く、かつ世界中に散らばっているからである。

私たちの経験上、平時から世界中の支払い窓口の現預金の出入りと残高を日繰りで管理できる態勢が整っているグローバル大企業はほとんどない。危機が迫ったら、まずはこの仕組みを簡便なものでいいから、極論すれば毎日エクセル集計で構わないから整えることである。それから経済危機が長引きそうな場合、同時にこの先1年間くらいのキャッシュポジション・シミュレーションをいくつかのシナリオで用意し、そのモデルを随時アップデートしていく態勢も整えなくてはならない。

組織運営面では、CFO（最高財務責任者）ライン、COO（最高運営責任者）ライン、CSO（最高戦略責任者）ラインは一本化して、トップ（CEO）下で事業と財務（資金）を情報面でも判断面でも一元的に管理する戦時体制を組む必要がある。そうしないとCFOラインで必死に資金調達や資金流出管理を行おうとしても、事業ラインの活動プロセスのどこからか資金流出が止まらない事態が起きてしまう。逆にCOOやCSOラインから見ると回復期にクリティカルな存在となる重要サプライヤーへの資金支援を危機時に止められてしまい、その企業が廃業してしまうと、危機後の事業のリカバリーが大きく遅れることになる。

実際、ＪＡＬ再生タスクフォースが最初の日に着手したのは、この先、数カ月間の資金繰り見込み表を日繰りで作成することだった。そして愕然としたのは、あと一カ月余りで先述のとおり完全資金ショート、全面運航停止、破産消滅するリスクがあることだった。医者がまずは聴診器を当て、脈をとるのに近い作業が、危機の経営においてはキャッシュポジションの日繰り見込み把握なのだ。

裏返して言えば、短期的なＰＬ目標は本気で捨て、むしろこの際、色々なリスク要因は思い切り損切りして、出せるだけの赤字を出しておいたほうがいい。かつて、リーマンショックのさなか、２００９年の経営危機時に川村隆氏がトップに就任した日立が、我が国の事業会社史上最大の赤字７８７３億円を計上し一気に膿出しをしたように。

実は資金繰り経営、現金残高経営に関しては、中小企業経営者の方がよほどセンスがいい。東大卒やハーバードＭＢＡのようなインテリサラリーマン（ＪＡＬなどに結構いるタイプの学歴エリート）の方が鈍い場合が多い。自分の金で事業を起こし、資金繰りと金策で苦労したことがないからだ。

加えて、銀行から借りられる金はとにかく早め早めに、事態が悪化する前に徹底的に借り入れておく、あるいはコミットメントラインの上限を上げておくことである。それで増加する金利や手数料なんて、企業の生き死にと比べれば無視できるくらいのわずかな保険料である。

政策的に展開される緊急融資枠や各種補助金、公租公課の減免措置なども、少しでも資金繰り不安があったら、とにかく臆面《おくめん》もなく取りに行くことである。特に、借金にならないもらい切りの措置、雇用調整助成金や各種減免措置は、今回のようにいつまで続くか分からない危機的局面においては取れるだけ取っておくべき。そしてここでも長い列を待っているうちに資金ショートして破産しないよう、少しでも早く列に並んでおくことだ。

先のりそな銀行の例もそうだが、総計約70兆円を用意した日本の金融危機の時の金融再生プログラムや産業再生機構にしても、リーマンショックの時に米国の連邦政府が総計約7000億ドルの出融資枠を設定したTARP（不良資産救済プログラム）にしても、公的資金注入スキームが用意されたときにいち早く予防的に利用した企業がより早く回復し、より早く公的資金を完済して危機後の再成長にギアを変えることに成功している。恥も外聞もなく、使えるものは親でも国でも何でも使え。古今東西、危機の経営にとって絶対の経営格言はCash is King! なのである。

修羅場の経営の心得（４）――捨てる覚悟

何を本当に残すか、迅速果断な「あれか、これか」の「トリアージ」経営を行え

厳しい状況での決断は必ず難しいトレードオフを伴う。派遣切りやリストラをすれば多くの従業員の生活や人生を危機に陥れる。取引先を絞れば同じことが先方の会社で起きる。企業年金をカットしようとすればOBやOGが大騒ぎしてマスコミも巻き込んだ大騒動になる。ある事業の売却をすれば、様々なリパーカッション（反響、あつれき）が起きる。巨額な減損が生じて債務超過になるかもしれない。監査法人に継続性の前提に注記を付けられ、上場廃止になるかもしれない。さらには銀行から融資引き上げを通告されて最後は法的整理に追い込まれるかも……。

企業や事業の存続の危機に際して、経営者は何を本当に残すべきか、明確な腹括りをしなくてはならない。残念ながら、「あれも、これも」であちこちに気を配り、皆をwin-win

で幸せにできる選択肢は存在しない。少なくとも短期的には。そこで存在しない答えを探して決断を逡巡しているうちにますます状況は悪化し、最後は従業員に最低限の退職金も払えず、取引先には未払いを残し、金融機関にはまったく弁済ができない状態での破産、まさに全員玉砕《ぎょくさい》に追い込まれる。

医療の世界では、緊急状況において緊急度と救命確率で患者ごとに治療の優先順位を明確につける「トリアージ」が行われる。実際、今回の新型コロナウイルス蔓延において欧州の一部ではトリアージを行わざるを得なくなっているようだ。ここで救命確率が低いという理由で優先順位を下げられる患者は、事実上、捨てられるのである。もちろん、「トリアージ」を迫られる状況に追い込まれないことがそもそもの理想なのは私も百も承知だ。だが、これは危機の経営においても同様で、この局面で何を本当に守るべきかをさっさと明確にし、「あれか、これか」の鮮烈な決断を迅速果敢に行う経営、いわば「トリアージ」経営を行わなければならない。

会社が生きるか死ぬかの状況で、「何よりも会社の遺伝子を残したい」とか「この素晴らしい企業文化は絶対に守る」とか「従業員だけは絶対全員守る」とか美辞麗句を並べだす経営者がいつも出てくるが、そんな綺麗ごとの観念論で飯は食えない、日々の生活を営んでいく人々の人生は救えない。より大きな善のために捨てざるを得ないものは果断に捨てるべし。一時、そのために激しい批判にさらされ、恨まれることは覚悟して。

修羅場の経営の心得（5）――独断即決

戦時独裁ができるトップ、姿が見えるトップを選び、真の「プロ」を集めて即断即決、朝令暮改

緊急事態になると、特にクリティカルな決断に対峙する局面でのトップの経営スタイルはきれいに二通りに分かれる。重要な問題だから部下や仲間の意見を聞き衆議を尽くして皆でものを決めるタイプと、情報は徹底的に集めるが最後は孤独に独断で決めるタイプ。言うまでもなく危機に強いリーダーは明確に後者のタイプである。

しかし、かつてのJALなどもそうだったが、日本の組織は苦しくなると秩序や手順を重んじ、色々な人に気を配る良き組織人、敵の少ないバランス型の人材をむしろ選んでしまう。独裁型の織田信長タイプは、権力を持たせたら何をやりはじめるか分からない、それもコンセンサスもなしに、ということで避けられる。経営危機においてはただでさえ人心は荒廃、疲弊し、人々は不安にさいなまれているので、そこに苛烈な独裁者タイプが登場すると、組織にますます心理的なストレスが生まれることを多くの人々が恐れるのである。そして、組織内の有力者が集まって小田原《おだわら》評定《ひょうじょう》をやった挙句、それまで組織内の遺《い》恨《こん》や派閥闘争の歴史から無関係で、毒にも薬にもならないが人柄の良い無私なタイプの人物、要は誰も積極的に反対しないタイプをトップに選んでしまう。このタイプの人物は、重要問題は決して独断で決めないので、延々と衆議《しゅうぎ》を続けて時間ばかりが無駄に経過し、危機を深刻化させてしまう。また、こういう人は上品に言えば控えめ、悪い言い方をすれば臆病《おくびょう》なタイプが多いので、自分の姿を社内外に見せたがらない。コメントも事務局や部下が書いたものを読んでしまう。

古来より戦時は独裁である。意思決定に関与させるべきは、少数の真のプロフェッショナル、修羅場のリアリズムを経験し、必要な専門的知見を持って、限られた情報で最良の判断を下しうるプロだけである。経営で言えば、財務、事業、会計、法務、労務に関するリアルな修羅場経験とスキルである。海外企業のベストプラクティス紹介ばかりやって来た「では の守《かみ》」系や、美しくデジタルトランスフォーメーション時代のビジョンなどを語って来た「きれいごと」系コンサルタントなど全く役にも立たない。何かを聞かれて「これから調べてみます」「良く分からないので分析してから報告します」と答える人間も役に立たない。調査分析をやっている間に会社が消滅してしまう。

ここはトップダウンの経営しかない。トップ自身のイニシアティブで、社内外から本物のプロを集め有事《ゆうじ》オペレーション体制を組み、即断即決で危機に対峙していくべし。社内外に向けて自分の姿をさらし、自分の意思で決めたことを自分の言葉で発信し、その結果もすべて自分が引き受ける。そして、状況が変われば、間違いに気が付いたら、即座に朝令暮改。君子豹変すべし、恥も外聞も気にしている場合ではない。

実は中堅、中小企業は元々オーナー経営者がトップダウン型経営をしている場合が少なくないので、その経営者自身がしっかりしていれば危機には強い。ある意味、身軽な分、敏捷性もあり、危機の大波を巧みに避けることもできる。ただ、こうした企業の弱みは社内に高度なプロフェッショナルスキルを持った人材が少ない点である。

では世の中に真のプロはどこにいるのか？　中堅、中小企業の経営者などは、なかなかネットワークがなくて困るかもしれない。こういう話は、まずは身近で長く付き合ってきた信頼できる人物から信頼できる人物を紹介してもらうのが一番安全な方法だ。メインバンク、商工中金などの政府系金融機関、税理士、弁護士……誰でもいいから遠慮せずに聞いてみるべし。あるいは事業再生実務家協会や各地域にある中小企業支援協議会のような公的な団体の門を叩いてみる。私自身も事業再生実務家協会の会員だが、あのような活動を一生懸命やっている人は面倒見のいい真面目な人が多い。そしてもちろん私たちにコンタクトしてもらっても結構。実際、かつて破産しかけていた小さな印刷機械メーカーの経営者が、あの手この手を使って私のところにたどり着き、結局、長島・大野・常松法律事務所の創業者である長島安治先生、BCGワールドワイドの元大パートナーであり中国の朱鎔基《しゆようき》首相（当時）のアドバイザーでもあったボブ・チン氏まで登場する日本、米国、中国を股《また》にかけた国際的なM＆Aによって救われたケースもある。

会社の生死がかかっているのだから、思い切り図々しくなっても神様は怒らない。ただ、気を付けて欲しいのは、誠実なプロフェッショナルほど、こういう局面で耳ざわりのいいことは言わない。良薬口に苦し。厳しいことを言ってくれる、苦い薬や痛い治療方法をすすめてくれるプロを信頼すべきである。

修羅場の経営の心得（6）――タフネス

DRAM産業（エルピーダ）喪失の教訓
――手段に聖域を作るな、法的整理でさえ手段に過ぎない

これはメディアにもやや責任があるのだが、会社更生法や民事再生法を申請するともう会社は終わり、従業員は全員解雇のような感覚を持っている人がわが国には多い。しかし、本当に守るべきものが「事業」や「組織能力」であれば、それを守るための手段として、再生型の法的整理手続きを使うことも何ら逡巡すべきではない。もちろん法的整理を申し立てれば株主には大きな迷惑をかけるし、私的整理でも少なくとも金融機関には迷惑をかける。経営者としてのメンツは潰れるかもしれない。しかし、大事なことはトリアージ、優先順位である。この程度のストレスに耐えられる胆力、タフネスがなければ本当の危機は乗り切れない。

10年前のリーマンショック時に我が国で公的資金注入スキームを使った大型案件は二つ。JALと、もう一つは半導体メモリー大手のエルピーダである。エルピーダは日立、NEC、三菱電機のDRAM事業を合体させて生まれた、言わば「日の丸」半導体メモリーメ

ーカーだった。実は私が産業再生機構をやっていた２００３年にも、日本の金融危機で投資資金難に陥っているのを何らか支援できないかと検討したことがあったので、それなりに実態を知っていた。坂本幸雄さんという優秀な経営者に率いられ、中でも広島の新鋭工場は世界でもトップレベルの技術水準と生産性を誇る会社だった。しかし、いかんせんただでさえ浮き沈みの激しいあの産業で持続的成長を続けるには債務が重すぎる。超ハイリスクの産業において、投資資金の大半をデット性（負債性）資金に依存するのはあまりに危険なのだ。

産業再生機構は債務超過になっていない企業は支援できなかったので、２００３年当時はまだそこまで財務が悪化していなかったエルピーダを支援対象にできなかった。しかし、その後、リーマンショックの頃に業績不振に陥り、より深刻な資金不足となったところで、公的支援を行うかどうかが俎上《そじょう》に上がった。

２００９年当時（おそらく今も）、経営不振の企業に公的資金を投入して毀損したらどうするんだ？　という議論が盛んだった。だから、エルピーダへの公的資金注入はあくまでも成長資金を支援するという名目で行われ、債務整理などは行わず、過剰債務のままで事業を継続することになった。しかし、結局、エルピーダは２０１２年に会社更生法を申請し、国が出資した公的資金は全額毀損した。そして、更生手続きで債務が軽くなった同社は、出資スポンサーとなった米国マイクロン社の傘下に入ったのだが、その後のマイクロン社の企業価値の大半は旧エルピーダの事業であり、主力工場は今でも広島工場である。

もし、あの時にＪＡＬと同じく、再生案件と位置付け、しっかりとしたＤＤ（事業と財務実態の精査）を行い、必要ならば会社更生法も使って債務整理を行った上で公的資金を入れていれば、日本はＤＲＡＭのエルピーダ、フラッシュメモリーの東芝メモリ（現「キオクシア」）を抱える世界トップの半導体メモリー王国の地位を保ち、公的資金は何倍もの価値となって国民の手に返っていたはずである。りそな銀行、カネボウ、ダイエー、ＪＡＬ……経営不振の再生企業への公的資金投入は、実はもっとも安全かつリターンの大きい投資である。心配するなら公的資金の毀損よりも、政府が儲けすぎて民業圧迫になることの方なのだ。

いずれにせよ危機時のリーダーは、自分が正しいと信じる目的を実現するためには手段の選択について、いかなる批判にも耐える覚悟をし、最後の最後まで戦場に立ち続ける胆力を持つ「ザ・ラストマン・スタンディング」でなくてはならない。経営危機における正義は事業をどんな形であれサバイバルさせること（雇用も事業があるから守れる）であり、そのためには手段に聖域を作ってならないのである。もちろん合法的な範囲において。

修羅場の経営の心得（7）——資本の名人

ＪＡＬ再建の教訓——2種類の「お金」を用意せよ

ＪＡＬの再建劇は、当時、メディアの注目の的となり表面的な盛り上がりについて色々な報道がされた。10年経って色々な事実が掘り起こされ、ようやく、かなり正確な検証記事なども書かれるようになった。

すでに少しふれたが、２００９年9月のＪＡＬ再生タスクフォース発足時点で、まず直面した最大の危機は11月上旬の完全な資金ショート、全面運航停止問題だった。だからとにかく何らかの再生計画を作り、それをもって急ぎ事業再生ＡＤＲという法的整理に準じる私的整理に持ち込み、いったん金融機関による差し押さえや相殺が行われないような一時停止をかけた上で、優先的に保護される再生支援のつなぎ融資（専門用語でＤＩＰファイナンスと呼ぶ）を２０００億円、誰か（当時の目論見としては政投銀）に出してもらい、まずは本格的再建に取り組むための時間を作ることだった。

それともう一つ、本格的再建にはどうしても機材、路線、労務に関わる固定費を３割くらい落とさざるを得ず、その最大のものが人件費であったので、希望退職者に払う上乗せ分を含めて退職金等のリストラ資金が最低３０００億円以上は必要だった。こちらは払いきりで返ってこない資金使途であり、融資ではなく資本という形で注入する必要があった。これについて私は当初から企業再生支援機構の出資機能を使うつもりだったが、債務超過状態だったＪＡＬにそのままでは出資は難しいので、私的整理または法的整理で債権カットを行うことが必要だった。

要は、当座の命をつなぐための２０００億円の融資資金という輸血と、本格的外科手術のための３０００億円以上の出資資金という輸血と、二種類の「お金」が必要だったのである。これは経営危機時には共通して出てくる問題で、融資に頼るべきつなぎ資金と、出資によって長期的な投資に使えるリスクキャピタルと、両方をしっかりと使い分けなくてはならない。

実際、つなぎ融資の２０００億円については、私たちの作った固定費30％カットを軸とした計画によって事業再生ＡＤＲ手続きに入り、今は亡き財務省の香川俊介さん（のちの事務次官）や国土交通副大臣だった辻元清美さんの奮闘もあって政投銀から２０００億円のＤＩＰ融資が11月の初めにぎりぎりで実行された。後者については会社更生手続きをくぐらせて債務削減をしたうえで企業再生支援機構が３５００億円を出資した。そして、私たちが最有力候補としてお願いに行っていた京セラ創業者の稲盛和夫さんがＣＥＯ会長を引き受けて下さり、ほぼタスクフォース案通りの再生計画が見事に遂行された。稲盛さんは期待通りの名経営者だったが、まずは二種類の「お金」、デット性資金とエクイティ性資金の二種類の輸血血液がなければＪＡＬ再生は絶対に成功していない。

このことは中堅、中小企業でも同じで、資金繰り融資はデット性の資本であり、返済猶予があっても無利子であっても無担保であっても借金は借金。いつか必ず返さなくてはいけないお金である。それが積み上がり、商売が順調であっても返せる見込みがない額の借金は、将来、じわじわと自分の首を絞めることになっていく。売上の長期減少による赤字を補う資金や構造改革資金は、極力、もらい切りのお金、すなわち助成金や給付金、あるいは誰かに出資してもらう、買収してもらうことで手に入るエクイティ性の資本でまかなうべきである。ファイナンスの世界では基本中の基本である二種類の「資本」を使いこなせなければ危機は乗り切れない。

修羅場の経営の心得（8）――ネアカ

危機は、新たなビジネスチャンス！「国民感情」に流されず投資や買収に打って出よ

大きな危機は必ず終わる。そして大きな危機は新しい時代の幕開け、新たなビジネスチャンスが生まれる時代の始まりでもある。既にリモートサービス系のビジネスは急成長の兆しを見せているし、感染症対策に関わる様々な新しいビジネスアイデアが動き出している。ややバブル気味になっていたＡＩ系やシェアリング系のベンチャー企業の株価はいったん大きく下落するだろうが、こうしたビジネス領域は、今回のコロナショックの経験でむしろ実用化、マネタイズが進む可能性が高い。すなわち割安で買い頃、投資頃になるのだ。

こうしたチャンスを前に投資や買収に打って出られるか？　パンデミックで打ちひしがれている世の中の空気やリストラや事業撤退で喪に服している社内の空気に流されて、千《せん》載一遇《ざいいちぐう》の投資機会、新規事業の創造・探索チャンスを摑むか、逃すか。

過去30年間の何度かの危機において、日本経済の大宗はこうした投資チャンス、成長チャンスを摑めずに来た。仕事柄、経済危機の時期に、「この事業を買収すれば大きな成長

可能性がある」案件を日本の大企業に持ち込む機会は何度もあった。そこで返ってくるよくある返答は「冨山さんの言うことは理屈として分かるが、つい最近、希望退職を募って人員削減したばかりで、このタイミングでよその事業を買収するなんて、社内の『国民感情』が許さない」である。逆に2000年代半ばの液晶パネルのように大きく成長はしているが、明らかにコモディティー化の兆候が出て価格が急激に下落している事業について、日本企業同士の過当競争化を避けるために売却を促すと、「冨山さんの言うことは理屈としては分かるが、前年比でまだ売り上げが伸びて若干でも黒字が出ている事業を売却したことは一度もない。それもこんな大きな事業をこのタイミングで売るなんて『社内の空気』が許さない」という答えが返ってきた。その後の我が国の液晶パネル事業の運命は皆さんご存じのとおりである。

「国民感情」や「社内の空気」などという実体不明のお化けに惑わされず、「理屈通り」にやるのが経営である。理屈通りやらないから、多くの人が仕事を失い、未来を摑むチャンスを逸する。合理する力こそが未来を摑む力なのだ。私の経験で言えば、この力を持っているリーダーの共通点はネアカであること。どんな絶望的な状況にいても「理屈通りにベストを尽くせば必ず最良の結果が待っている。それでダメならしょうがない。その時、また次の手を考えるさ」という、前向きな諦観、居直りができるリーダーである。最悪の状況でも頭が冴えているのでジョークも出せる。土壇場でも皆を励ます優しさを持てる。そして切り替えも早い。

今回のショックで比較的打撃を受けないビジネスモデルの企業や現時点であまり大きなエクスポージャー（投資残高）を持っていない投資会社にとっては大チャンス到来である。打撃を受ける企業でも、正しく対応できれば、競合他社よりも早く回復期に入るし、コングロマリット型の企業の場合は打撃を受けない事業もあるはずだ。危機は必ず終わる。危機に耐えながらも虎視眈々と反転攻勢、投資や買収の機会をネアカに狙うべし、である。

修羅場の「べからず」集

以上の心得を裏返せばそのまま「べからず」集になる。

見たい現実を見る経営

カエサルが喝破した通り「見たい現実を見る」人間の本性に流される経営では会社は潰れる。ありのままの現実、自分たちにとって不都合で見たくない現実から目をそらしてかじ取りをして、危機を乗り切れるはずがない。もしそういうタイプがリーダーなら手立てを尽くしてさっさと更迭するか、それが出来ないならさっさと会社を辞めた方がいい。

精神主義に頼る経営

苦しくなると経営陣が部下や現場に精神論を説く、合理的に不可能な指示を出して、現場がそれを実行できないと「根性があればなんとかなる」「出来ないのはやる気がないせいだ」とわめき出す。危機の現場で私たちは何度も目撃した光景だが、そんな経営陣が居座り続けたらその会社は終わりである。

人望を気にする経営

一般社員からの目や人望を気にして、急に社員食堂で食事を始めたり、現場社員との車座行脚を始めたり、電車で通勤したりする経営者はヤバい。会社や事業の生死がかかっている、自分や家族の生活や人生がかかっている時に、社員は経営者が「いい人」かどうか、「人望」があるかどうかに関心なんて持っていない。この窮地をリアルに脱する的確な判断力、行動力、胆力のありそうな人物についていくものだ。

衆議に頼る経営

厳しい決断に際して、人から恨まれたり批判されたりするのが怖いリーダーは衆議に頼り、時間をかけ熟議《じゅくぎ》をして、みんなで決めたことにしたがる。危機時の衆議×熟議は衆愚に直結。どの選択肢にも誰かがケチを付けてものが決まらず、最後は何をやりたいのか分からない結論になり、その先には悲惨な末路が待っている。中堅・中小のオーナー経営者でも、二代目、三代目と世代が下り、育ちも学歴も良くなってくると、こういうタイプが増えてくるので要注意だ。

敗戦時のアリバイ作りに走る経営

サラリーマン経営者に多いが、自分が最善を尽くした証拠を残す、後で訴訟を受けないための証拠を残すことに熱心で、実際の決断は行わない。そしてリアルな生き残りに必要なリアルなリスクをけっして取らない。社外取締役のなかにもサラリーマン体質の人間は、元役人や学者でもこういう手合いが出てくる。肝心な時に戦場から逃げるやつが最高司令官や司令部メンバーでは戦争にならない。アリバイを作っている間に会社は潰れてしまう。このタイプは他責も得意だ。苦しくなると、「世の中が悪い」「政府が悪い」「部下に人材がいない」と言い出す。そして、敗戦処理もちゃんとやらずにどこかに消えてしまう。

現場主義の意味を取り違える経営

「危機の時こそ現場主義だ！」とか言って、現場に降りて行って、現場の意見を聞き、その意見に共感してその通りにすると約束し、本当にその通りにやろうとする経営者もダメ。真珠湾攻撃の後でも、戦艦大和を建造中の現場で頑張っている連中は「もう航空戦の時代なんだからこんな巨大戦艦はいらない」とは言ってくれない。撃沈寸前の大和の甲板でも、水兵に「まだ頑張れるか？」と聞けば「頑張れる」と答えるに決まっている。真の現場主義経営とは、現場の実態、最前線の実態をありのまま知ったうえで、そしてもちろん現場で汗をかき血を流している仲間に共感したうえで、時には現場に厳しい決断を下すことである。現場の思いに迎合することではない。

情理に流される経営

経営力は決断力×実行力で決まる。実行力はすぐれて情理の産物であり、組織全体が一団となって盛り上がれば大きな力が出る。しかし、決断力はすぐれて合理の産物であり、そこで意思決定権者が情に流されると大きな判断ミスにつながることは、歴史上の幾多の決断局面で証明され、古典作品にもそういう場面はたくさん登場する。キャッシュ残高の戦いなどは典型だが、これはほとんど血も涙もない数理の世界であり、合理的にしか動かない。危機の経営は明確に合理が情理に優先するのだ。中途半端で薄っぺらな情けをかけるリーダーは、かえって多くの人々を不幸にする文字通り「薄情《はくじょう》者《もの》」経営者になる。修羅の世界は「非情の情」の世界である。その場はどんなに恨まれても、10年後、20年後に（まだ自分が生きていれば）感謝されたら御《おん》の字と覚悟できないやつは危機時に操縦かんを握ってはならない。

空気を読む経営

「べからず」集のエッセンスはこの一言で置き換えてもいい。危機においてその場の空気なんてそもそもどうでもいい。コンセンサスなんてクソくらえだ。必要なのは、生き残る確信と、そのための合理的で冷徹で迅速な判断力と実行力のみである。危機後をにらんだ取り組みの始動も同様だ。大量のリストラの後、あるいは最中に、新しい事業に投資し必要な戦力を新規採用する、積極果敢にM＆Aをする、といった迅速果敢な「手のひら返し」は、喪中な会社の空気を読んで逡巡していたら不可能だ。ぐずぐずしている間に再成長のビッグチャンスはあっと言う間に目の前から消え去る。

悲観的・合理的な準備、楽観的・情熱的な実行

わざわざ心得の反対の話をしつこく記したのは、この「べからず」集にはまってしまう経営者と、そういう経営者を選んでしまう会社が本当に多いからである。そんな「べからず」リーダーは、楽観的な見込みにすがり、情緒的な空気に流された意思決定をし、恐怖感にさいなまれて腰が引けたアクションしか取れないまま、戦況はどんどん悪化していく。心得通りにやるのは難しくても、やってはいけないことをやらないだけで会社のサバイバル確率、再成長確率は格段に上がる。

そして心得集についてもべからず集についても、金融機関であれば貸し先企業で適格な人材によって的確な危機時の経営が行われているか、自動車メーカーのように川上、川下の両側に多くの系列取引先がいる場合は、その経営状況にも「日繰り」モードで目を光らせなくてはならない。「(最悪)想像力」「透明性」「現金残高」「捨てる覚悟」「独断即決」「タフネス」「資本の名人」「ネアカ」……より多くの企業が最善の経済危機対応を実践することは、コロナショックによる日本経済の破壊リスクを最小化することにも直結する。悲観的・合理的に考えて準備を整え、楽観的・情熱的に敢然なるアクションを起こすこと

で、この危機を乗り越えていこう。

個人として身構えておくべきこと

個人としては、まずは自分の置かれた状況、自分がいる組織がこのあとどのくらいの嵐に巻き込まれるか、色々な情報を集め、その上で自分の頭で考え抜くことである。こういう時に色々な人が色々なことを言うが、後から振り返るとなんだかなあ、という話が大半である。なぜなら、危機はいつも新しい形で押し寄せてくる。その新しさの本質を洞察し、それを歴史的な法則に当てはめ、想像力を働かせて答えを導くには、形而上的な広範な知識や教養と、形而下的な凄まじい修羅場体験から凝縮されたリアルな抽象的原理との両方を持っていないと難しい。あらゆる産業、あらゆる局面でこの両方を持ち合わせている人間なんていない。だから他人の言うことは、私がここで書いていることを含めて一つの情報、一つの見解として、あくまでも判断材料の一部とした方がいい。最後に決めるのは自分自身であるべきだ。

その中で、この先、まだ人生が長いと考えるなら、やはり長い時間軸で過去の危機が何をもたらしたか、それまでの常識がどう壊れたか、がもっとも大事な判断材料だと思う。ここで壊れる確率の高い常識に乗っかるのは、あなたの人生が長期的に不幸になっていくことにつながりやすい。

バブル崩壊のときも、日本の金融危機の時も、リーマンショックの時もそうだったが、目前の大混乱に恐怖して、やはり安全な大企業だ、やはり世界的な有名ブランド企業だ、となる心理が働く。しかしこうした危機の後、むしろその時点では安泰だった大企業、有名ブランド企業が凋落《ちょうらく》していく場合のほうが多い。そして次の危機が到来したときにそういった企業はとどめを刺され、その組織の中で組織固有のスキルを磨いてきた（いわゆる出世争いをするということは基本的にそういうこと）だけの人物は行き場を失ってしまう。逆に日本の金融危機で国有化されたりそな銀行や、リーマンショック時に破綻したＪＡＬ、もっと遡れば中曽根行革の時代に実質破綻状態から民営化されて誕生したＪＲグループのように、その時点の危機の当事者が後々大復活する場合も少なくない。

私は、本気で将来マネジメントリーダーを目指したい20代、30代の人間から、勤めている会社が再生状態に陥ったときに自分はどうすべきか、と相談を受けたら、ほぼ１００％、こうすすめる。ぎりぎりまで会社に残って修羅場経験をするように、と。

今どき長期的な視点で本当に安全で将来性が保証されている産業も会社もない。会社が再生状態にあるということは、一人のマネジメントプロフェッショナルとして色々なことが学べる格好の「タフアサインメント」が目の前にあることを意味する。それを若いうちに経験できる千載一遇のチャンスが来ているのだ。こういう時にはビジネスの本性もわかるし、半沢直樹もびっくりのドロドロの人間ドラマも展開される。漫画『キングダム』張りの英雄が目の前に現れるかもしれない。平家物語の平知盛ではないが、普段はなかなか見られない「見るべきもの」を間近で、半ば当事者として見ることができる。MBA10回分に勝るケーススタディーの機会。それにまだ最高司令官ではないので、負け戦になっても自分のビジネスパーソンキャリアが終わるわけでもない。とってもおいしいアサインメントである。

実はみちのりグループを率いる弊社共同経営者である松本順氏は、1998年、37歳の時に日本リースのサラリーマンとして会社の倒産に直面し、管財人室で最後まで頑張った人物である。

ちなみに1985年に私が新卒で入社した時のBCG（ボストンコンサルティンググループ）東京も、コンサルタントはわずか20名あまり、BCGワールドワイドでも500名程度だったと思う。私の友人の親たちは「冨山君、東大法学部出て、在学中に司法試験も受かったのに、なんだか結核の予防接種のＢＣＧを作っている会社に入ったらしいわ。何か事情があったのかしら⁉」と噂いていたそうだ、おやじギャグではなく本当に。

個人として銘記すべきは、やはり近視眼的な身近な経験や常識ではなく、歴史から学ぶべしということ。歴史は繰り返し、またいつか新しい危機がやってきて、そこで倒れる企業がどこかは分からないのだから、当該組織固有のスキルではなく、世の中全般にどこでも通用する、誰にでも説明できる能力を磨いておくことである。この意味では、企業破綻時などにもっとも潰しが効くのは、じつは現場のモノづくりや、現場のオペレーターの人たち。逆に一番困るのはいわゆる総合職採用で長年同じ職場で勤め上げた「管理職」っぽい人たちである。私たちも何とか次の仕事を見つけるべく、あるいは事業の売却先でよい処遇となるよう応援するのだが、「私はＸＸ会社の部長ができます」では応援のしようがない。管理職で勝負したいならどの企業でも通用する真に一流の「プロ管理職」を目指すべきだ。

政策的課題として想定しておくべきこと

歴史から学ぶべきことは経済政策も同様である。少なくともこの30年間の危機の繰り返しにおいて、どんな政策手段が繰り出され、それぞれがどんな効果を生み、生まなかったか。あるいはどんな副作用を残したか。うまく行ったのも、うまく行かなかったのも、それはなぜなのか。日本、米国、欧州に相当な事例蓄積があるはずだから、まずはその歴史から学ぶ作業は急いだほうがいい。

新型コロナウイルスの拡大があまりにも急なので、どうしても経済対策も当座の緊急事態をしのぐための短期対応策に傾く。これは企業でも同様だ。それ自体は間違っていないが、長期戦を戦うためには、緒戦の戦局をしのぐのとは別に兵站も含めた長期戦略が必要となる。パンデミックが長引くほど、経済的な傷も深くなり、対応戦略はどんどん大きくかつ長期的なものにならざるを得ない。短期的施策を対症療法的に繰り返し、結果的に戦力の逐次投入となり、戦況悪化が続いてギリギリまで追い詰められたのが、バブル崩壊から最後は金融危機に至った「失われた（最初の）10年間」の日本である。

今回も数カ月から年単位の生産と消費の大停滞が国内外で起きて長期戦となった場合に備え、最悪の想定に基づいた対応策、メニューを今から用意しておくことが重要となる。

そして結果的にパンデミックが予想外に早く収束して、そうしたメニューをあまり使わずに済んだことを喜びたいものである。

ちなみに2003年当時、産業再生機構には債権買い取り（融資）と資本注入のために10兆円の予算が用意されたが、実際に私たちが使った金額は最大期の残高で3兆円行かなかったと記憶する。そしてもちろん、かなり大きな利益を出して解散した。ただ、当事者として思うのは、金融再生プログラム（60兆円の予算枠）も産業再生機構スキームも、あと5年早く発動していれば、ほとんどの案件は再生型資本注入ではなく、予防的資本注入で済んだはず、すなわち日本経済のダメージははるかに少なくて済んだはずだ。今回は同じ過ちを犯してはならない。

中央政府も地方自治体も、国民、住民という極めて広範なステークホルダーに対峙している。また、我が国の財政は極めて厳しい状況にある。こうした中で危機に対して適時的確な手を打とうとすると、様々なトレードオフやリパーカッションが起きる。しかし、財政の問題にしても、ここでシステムとしての経済が日本全体として壊れてしまうと、財政再建はさらに遠のくことになる。本書で挙げた「修羅場の経営の心得」は、ほぼそのまま国家と地域の経営者として政策立案、政策決定、政策執行にあたる責任者の皆さんにも当てはまるものと思う。国民の一人、地域住民の一人として、迅速果断なリーダーシップを心より期待している。

緊急経済対策、守るべきは「財産もなく収入もない人々」と「システムとしての経済」

４月７日の非常事態宣言と同日に閣議決定された緊急経済対策１０８兆円。色々な意見があるが、私もかつて政府部門の一員として、あのような経済対策の立案プロセスをそれなりに知っているので、限られた時間と財源でかなり頑張って作ったものだと理解している。

前にも述べたが、国でも企業でも、こういう時は本気で守るべきものを明確にして優先順位をつけるべきである。今回の危機の大きさと特性を考えた時、私は守るべきものは二つ、「財産もなく収入もない人々の生活と人生」と「システムとしての経済」である。

緊急に作った緊急の対策としては、とにかく収入を失う低所得層に生活費を給付することは間違っていないし、中小サービス業が担っているローカル経済システムを守るために緊急融資だけでなく、給付金に踏み込んだのもこの際、正しいと思う。このセクターで無秩序に倒産、廃業、失業が起きた時に日本経済が中長期的に受けるダメージは、かなり大きいからだ。あとは実行段階で日本的な生真面目さ精密さを捨て、多少の不正が起きることには目をつむってスピード最優先のオペレーションを行うことができれば、それなりの効果はあるはずだ。

ただ、この先、経済危機との戦い、いわば「経済的パンデミック」との戦いが長期戦となっていくことに対して、どのような手を打っていくかについては、これからの情勢変化をみながら、これまた迅速果敢に前倒し、前倒しで新たな対策を準備する必要があるだろう。私は、間もなくエアラインだけでなくグローバル大企業すべてを巻き込むG型産業の経済危機の第二波が、大方の人々の予想以上の大きさで襲うと思っている。その先にはFの世界の金融危機リスクも待っている。

そこまで行くと、「財産もなく収入もない人々の生活と人生」と「システムとしての経済」はかなりのスケールで不可逆に破壊されてしまい、パンデミック後の国民生活の再建はますます険しいものになる。経済システムの崩壊はその手前で絶対に止めなくてはならないのだ。繰り返しになるが、このモードの危機については、この30年間、日本はもっとも経験豊富な国である。政府も、経済界も、金融界も、30年間の成功と失敗に歴史と経験をフルに生かして、何とか「経済的パンデミック」を最小レベルで抑え込みたいものである。

政策対応の撤収タイミングとメリハリが重要……ゾンビ延命装置にならないために

20年前の金融危機、10年前のＪＡＬ騒動や原発事故による東電危機……マクロ経済的、公共政策的な観点から真に守るべきだったのは個別企業ではない。守るべきは経済社会システムとして関連した企業が持っている機能である。メディアの報道はついつい個別企業の生き死にやそこに関わる人物たちのスキャンダラスなトピックに注目しがちだが、公共政策として重要なのは、それぞれに金融システム、空の公共交通機能、電力の安定供給の維持、ピリオドなのである。もし個別企業の破綻が業務停止（あるいはその連鎖）にまで至り、担っている公共機能が大規模に失われた場合、国民の社会経済活動が重大なダメージを受け、結局、巨額の公費、税金を投入して業務の再構築と再起動を行わざるを得なくなる。そこでの様々な社会的・経済的損失は極めて大きいものとなる。広い意味での公共財的機能を、今回、休業要請を受けた中小サービス業群だって全体としては多かれ少なかれ担っている。

視点をもっと長期化すると、今そこにある機能停止の危機を回避し、かつ同じような機能不全を今後起こさない、あるいは起こしかけたときの安全装置をビルトインしておくことが重要となる。

このように考えた時に、危機時にはどうしても必要となる生命維持装置的な政策対応の終わり方、終わるタイミングが大事になる。数年前に商工中金の不正融資問題が明らかとなり、私は商工中金の今後の在り方を議論する委員会のメンバーの一人となった。実はあの問題もリーマンショックへの対応策として繰り出された緊急融資制度が経済危機の終息後にも残ってしまい、融資残高を伸ばしたかった現場が有力な低利ローン商品として本来は対象にならない優良企業にも貸し出しを続けたこと（及びそれを上層部が見て見ぬふりをしたこと……私がもっとも尊敬する同世代のミスター「第三者委員会」國廣《くにひろ》正弁護士が委員長としてまとめた公表資料「商工中金調査報告書」に詳しく記録されている）から起きている。

その後、商工中金は西武鉄道グループ出身の関根正裕新社長の下で見事に再生しつつあるが、緊急時にはシステムとしての経済を守るために必要な緊急融資も、平時においては生産性が低い企業の延命装置、ゾンビ延命装置として機能してしまう側面があるのだ。我が国の低成長性、低（労働）生産性、低賃金の背景に、産業と企業の新陳代謝が乏しく、低生産性が温存されていることがあるのは今や共通の問題認識である。それがもっとも顕著なのはローカル経済圏を担う中堅・中小企業セクターである。少子高齢化による慢性的労働力不足問題にも、経済危機が去れば再び直ちに直面するだろう。そこで我が国経済は、再び低い労働生産性をどう押し上げるかに取り組まなければならなくなる。

前述したように経済危機時に同じ業種でもより重いダメージを受けるのは、「基礎疾患」を抱えた企業、すなわちより生産性の低い企業、財務体質の悪い企業である。実は経済危機およびその回復期は、大企業、中小企業を問わず、そうした低生産性企業を再編し、より生産性が高く、賃金や雇用条件の良い企業と産業ドメインに事業と働き手をシフトするチャンスでもある。

実は産業再生機構はこのことを強く意識しており、支援案件に注入した資本は、原則として競争相手も含めた第三者に公正なオークションを通じての株式売却あるいは事業売却で回収する方針を取っていた。そうすることによって回復期に産業再編につなげ、ゾンビ企業がそのまま温存されるのを避けようとしたのである。

コロナショックにおいても、政府として支援介入するときには思い切り大介入する一方で、危機が終息したあとはメリハリの効いた鮮やかな撤収をおこなうこと、そして対策自体にゾンビ温存の副作用を最小化する仕組みをビルトインしておくことが重要になってくるだろう。

危機の経営、再生のプロが減少している日本のリスク
——誰が真の street smart なプロかを見極めよ

気を付けなくてはならないのは、危機時には「自称」専門家みたいなのが跳梁跋扈《ちょうりょうばっこ》し、パニックになった企業経営者や政策立案者が「藁をも掴む」思いで飛びついてしまうことだ。そのなかには「M資金」まがいな話を持ち歩く輩まで出てくる。

産業再生機構時代のダイエー騒動、IGPIになってからのJAL騒動の時にも、色々な連中が「ないこと、ないこと」のホラーストーリーを吹聴し、メディアの中にはそれに乗せられて「ないこと、ないこと」を書く記者が現れた。JALの時も自称「再生のプロ会計士」みたいな人々が、タスクフォースは兆円単位の隠れ債務を見逃していると当時の与党だった民主党幹部や官邸周りに吹聴して回り、一部の経済雑誌にも寄稿していた。結

果を見ればそれが「フェイクニュース」であったことは明らかだ。

生死にかかわる深刻な病状の会社を前にして、担当医師がもっとも多くの情報を持っているわけで、当該医師が豊富な臨床経験と高いスキルを持っている場合、その時点で考えられるもっとも合理的な選択をするのは当たり前である。日本ではメディアに登場する有名人の学歴詐称、経歴詐称騒動が後を絶たないが、この国は欧米と比べていわゆるレファレンス（第三者からの評価・評判）やクリデンシャル（資格情報）のチェックが甘い。要は性善説を取っているので、怪しげなプロまがいが跳梁しやすい土壌がある。

仮にちゃんとしたクリデンシャルに裏打ちされた経歴を持っていても、危機の経営においては平時の頭の良さ、英語でいうbook smartだけでは役に立たない。米国の有名ビジネススクールでトップ５％に授与される優等賞を取っていてもso what?である。モノを言うのは修羅場の実践経験に裏打ちされたstreet smart度合いである。

日本の金融危機から約20年、リーマンショックから約10年と、かなりの時間が経過している。実はリーマンショック後の経済危機と東日本大震災と原発事故に伴って生じた経済リスク対応は、小泉政権当時の金融危機時に活躍した官民の人材が中核を担った実態がある。しかし、今や産業再生機構の実務トップに42歳の破格の若さで就任した私でさえ、この4月に還暦を迎えた。当時、役所や金融機関、法曹界、会計士界、労働界で一緒に汗をかいたカウンターパートの人たちは、リーダークラスはもちろん実務レベルの方々でもその多くが現役を退いている。産業再生機構に私をスカウトした改革派の少壮官僚、森信親さん（当時は財務省の参事官）も、後に金融庁長官まで上り詰め、すでに退官している。高木新二郎さんや細谷英二さんのようにこの世を去った方もいる。我が国の役所や金融機関のように基本的に年功的な組織では、危機対応のようなルーティンではない組織能力は時間とともに散逸しやすい。官民ともに豊富な臨床経験、修羅場経験を持つstreet smartな真のプロは減少しているのである。

もちろん私たちIGPIや西村あさひ法律事務所のようにこの間も再生案件をコンスタントに扱ってきたプロフェッショナルファームや法律事務所もいくつかあるが、この10年ほどは案件数が限られていたので、人材もノウハウもそうしたところに集中している。人間、誰しも一日、24時間しかない。コロナショックの経済危機が大規模に襲来した場合、その被害を最小化すべく、どう効率的、効果的に経済・金融・産業の修羅場対応をこなすのか。感染爆発による医療崩壊が懸念されているが、人的資源の枯渇による経済崩壊、金融崩壊、産業崩壊も回避しなくてはならない。

第3章

危機で会社の「基礎疾患」があらわに

約10年おきに「100年に一度の危機」が起きる時代

前にも述べたが、私たちはこの30年間、ほぼ10年おきに「100年に一度の危機」に遭遇している。原因はそれぞれに100年に一度くらいのレアな事象かもしれないが、それが10年に一度くらいの頻度で大きな危機を招来し、その衝撃は時代が進むほど、即時的かつ世界的スケールになる傾向がある。おそらくその背景にはグローバル化が進んだことと、デジタル革命で情報伝搬や市場変動が瞬時に世界中に伝わることがある。すなわち、経済危機は必ず終わるが、きっとまたやって来る、それもおそらくよりグローバルにスケールアップして、というのが現代という時代なのだ。

自らの不明を白状すると、2003年に産業再生機構の実務トップを引き受けた時の私は、バブル崩壊から続いていた不良債権問題を解決し、金融危機が終われば、日本経済は元の成長軌道に持続的に戻れると思っていた。しかし、この問題が解決しても、平和で安定した成長の時代は戻ってこなかった。結局、私たちはいつの間にか、破壊的な危機と破壊的なイノベーションが交互にやってくる時代に突入していたのだ。

そうだとすれば、今回の危機を乗り越えられても、次にまた同じような危機に対峙したときに、自分たちの会社や事業は生き残れるのか？　この生産性、競争力、財務体力、経営力でこんな時代に持続性、サステナビリティがあるのか？　について真摯に考える必要がある。中小企業であれば、そこに事業承継問題が絡んでくるだろうし、大企業であれば今の会社のかたちや稼ぐ力、その基礎にある組織能力でこれからも続く破壊的イノベーションと次に来る破壊的危機を生き残れるのかという、本書続編のメインテーマであるＣＸ（コーポレートトランスフォーメーション）の問題につながっていく。

これは個人レベルでも、政府レベルでも同様だ。企業、個人、社会、政府のあらゆるレベルで、破壊的危機、それも毎回新たな形で襲ってくる世界的な危機に対しての強靭性、レジリエンスが求められている。

ウイルス感染症でも基礎疾患を持っている人は重症化リスクが高いようだが、企業経営も同様で、次の危機で「勝ち組」になるためには「基礎疾患」（財務と事業と組織の構造疾患）を根治しておくことが、企業経営におけるもっとも根源的なレジリエンスなのだ。

大企業の基礎疾患の核心とは、「古い日本的経営」病

危機到来時において、重症化度合いを分けるのは、つまるところ手元流動性（現預金）の潤沢さ、金融機関との従来からの信頼関係、そして平時における稼ぐ力（特に営業キャッシュフローの厚み）と自己資本の厚み（稼ぐ力に対する相対的な負債の軽さ）、だということは既に述べたが、第2章34～35ページの図表で示した通り、こうした指標を日米比較すると現在の日本企業は残念ながら、かなり低レベルである。

この30年間、日本企業の大宗は「稼ぐ力」を失い、稼げないから思い切ったリスクが取れず、未来投資もできず、稼ぐ力の脆弱性が不安なのでわずかな稼ぎから「もしもの時」に備えて、バランスシートの左右に内部留保（利益準備金）と手元現預金を両建てでコツコツ積み上げてきたのである。

結局、問題の根源は「稼ぐ力」が落ちたことである。そしてその根源には、１９６０年頃から30年間にわたり日本を奇跡的な長期的成功、「ジャパン・アズ・ナンバーワン」と

称賛されるところまで押し上げた「日本的経営」とそれに連動して構築されてきた諸々の社会システムが１９９０年頃、ちょうど昭和の終わりごろを境に耐用期限が過ぎたにもかかわらず、さらに30年間にわたり引っ張り続けたことがある。

詳しくは本書の続編で議論するが、人間で言えば、糖尿病とか高血圧とか心臓病とかの慢性的な基礎疾患のそのまた根源にあるもの、基礎疾患中の基礎疾患は、日本の会社と社会、さらには個人の生き方にまで広く深くビルトインされた「日本的経営」そのものなのである。

グローバル化が進展すると、世界中から何十分の一の賃金で良質な労働を提供する人々とそれを梃子《てこ》に競争を挑んでくるプレーヤーが登場する。デジタル革命で次々と不連続な破壊的イノベーションが起こされ、既存の産業やビジネスが瞬時に破壊される。そこから生まれる新しい付加価値、顧客がたくさんの対価を払ってくれる価値は、よりソフトでネットワークで知識集約的なサービスとなっていき、逆に集団共同作業で大量生産される単体のハードウェアの付加価値は削られていく。

試験偏差値の均質な学歴競争を経て、新卒一括採用で終身年功制のサラリーマンとなり、同質的、連続的、固定的なメンバーで一つの会社で集団的な改良的イノベーション力、オペレーショナルエクセレンスで延々と戦い続ける……この「日本的経営」を軸とした会社と社会と人生のモデルは、残念ながら今の時代には多くの産業と職種で成り立たなくなっており、実際どんどん壊れている。事業モデルと競争メカニズムの変化が要求する組織能力の変異幅が、改良的な範囲で済むときは、同質的、連続的、固定的メンバーで構成された組織は強い。しかしそれを超える、スポーツにたとえれば野球からサッカーに代わるくらいの変異幅になると、むしろ脆さを露呈するのである。そのギャップを埋められなくなった結果が、稼ぐ力の長期的弱体化なのだ。

多くの日本企業にとって、基礎疾患中の基礎疾患が「日本的経営」に根差すことは、コロナショックの経済危機の過程でさらに浮き彫りとなるだろう。

もちろん「日本的経営」を全否定するものではない。しかし昭和モードの「古い日本的経営」については、令和モードへと、ゼロベースから根本的な全面改訂をかけないと、平成30年間の負けパターンを今後も繰り返すことになる。

中堅・中小企業の代表的な基礎疾患は「封建的経営」病

本書では危機の時代の経営においては、よりトップに権力が集中していて、トップダウンの経営スタイルを取りやすく、図体もデカすぎず小回りが利く中堅・中小企業の経営モデルの方が強みを発揮しうると述べてきた。

しかし、現場で数多くの中堅・中小企業の栄枯盛衰を見てきた実感として、このセクタにもやはり基礎疾患があり、収益力も財務基盤も脆弱な企業が多い。その基礎疾患の代表的なものは、ストレートな表現をお許しいただけるなら、ずばり「封建的経営」病である。

日本の大企業の根本病理は、圧倒的に日本人男性の終身年功サラリーマンで占められ、その同質性、固定性が現代の経営環境とあまりにもマッチしなくなったことにあるわけだが、この終身年功サラリーマンを終身世襲制のオーナー一族と終身身分制の家臣団的サラリーマン集団に置き換えれば、実は概ね似たような構造である。ある種、封建的な身分制を前提にした、高い均質性、固定性、排他性、組織的連続性を持った企業体という意味では、同じような基礎疾患を抱えるリスクを持っているのだ。

厄介なことに、組織的連続性の中には「竈《かまど》の灰までわれのモノ」という意識がオーナー一族に刷り込まれ、色々な仕組みで巧みに会社業務からお金を吸い上げる習慣、きつい言い方をすれば封建的な搾取構造がある場合も多い。こんな悪習は駆逐しなければ優秀な人材は入ってこないし、生産性も賃金も上がるわけがない。

変わらない、変われない古い体質の中堅、中小企業が変わっていくには、やはり外の血を入れ、新陳代謝力を高める経営スタイルに転換していくトランスフォーメーションが必要なのだ。

日本のサービス産業、L型産業の生産性の低さは、その主な担い手である中堅・中小企業の生産性の低さの反映でもある。今や日本の勤労者の8割の人々は、中小企業の従業員とサービス産業に多い非正規雇用者である。そこに新しい「ヒト、カネ、チエ」を入れ、再編とイノベーションを起こし、生産性と賃金を上げなければ日本経済全体の押し上げは難しい。

今までの危機対応のショックが残した生活習慣病回帰、ゾンビ事業延命の罠にはまるな

危機対応は何とかこなし、同時にそれまで蓄積していた贅肉を一気に落としたおかげで、危機後はとりあえずV字回復、という展開は今までの経済危機でもたくさん見てきた光景だ。しかし、その後も長期的な凋落傾向を止められなかった日本企業は少なくない。そし

てじわじわと固定費は上がり、利益率は上がらず、次の危機イベント時にまた同じようなリストラを繰り返す。そこでまた体力を失って、十分な成長投資を行えずに長期低落に歯止めがかからない……。人間で言えば、ショックで病状が悪化してとりあえず痛い外科手術もやったし、術後のリハビリも頑張ったが、根本的な生活習慣を変えられず、しばらく経つと同じ生活習慣病が悪化するのと同じである。

厳しいリストラや事業撤退の後は、人間の気持ちは「もう二度とこんなことは繰り返してはならない」となる。私だってそうだ。問題はどうすれば二度と繰り返さないで済むか？　である。リストラをやらないということが堅固な終身年功制の復活となり、事業撤退をやらないということが事業ポートフォリオの再固定化、すなわち破壊的イノベーションの時代には新たに必ず生まれてくるゾンビ事業の固定化につながると、結果的に「こんなこと」は繰り返してしまう。

しかし、20年前の金融危機後にしても、10年前のリーマンショックや東日本大震災の後にしても、多くの日本企業はその時の経営危機やリストラショックの傷の深さ、トラウマのために、「古い日本的経営」病の根治にまで挑むことはなかった。危機イベントそのものは外因的なものだが、そこで世界の競争相手、国内の同業他社よりも自社が深くダメージを受けた内因的問題を掘り下げ、そこに本格的なメスを入れ、本気で会社の形の大変容、トランスフォーメーションに取り組むエネルギーを持っている会社、そこまでの強固な意志を持っている経営者は多くなかったのである。

本書の続編で詳説するが、日本と世界で様々な危機が繰り返されてきたこの30年間、日本の企業群をマクロレベルで見ると、残念ながら世界でのプレゼンスを、売り上げ面、利益面、時価総額面、そして雇用創出面のすべてで「長期持続的」に失ってきた。しかも米国だけでなく本来は比較的日本に近い経済社会システムを持っていた欧州の企業群と比べても、世界における地位を顕著に失ってきた真因はここにある。

２００７年から10年間にわたり社外取締役をつとめたオムロン社においても、私の根本的な問題意識はそこにあり、それが同社のトップマネジメント層（当初は立石義雄会長と作田久男社長、のちに立石文雄会長と山田義仁社長）が持っていた経営理念と問題意識に合致していたこと（だから私も社外取締役を引き受け、10年間在任した）が、その後のガバナンス改革、ＲＯＩＣ（投下資本利益率）経営及びその背骨となる理念経営の強化と実践につながっていった。この間、リーマンショック、東日本大震災の二度の大きな危機に遭遇したが、むしろ危機を梃子にしてオムロンは「古い日本的経営」病、創業者立石一真が喝破した「大企業」病との戦い、すなわち真に時代が求める価値、顧客が金を払ってくれる価値を不断に探索し、それを提供するために組織能力の変容を続けられる会社に進化する取り組みを強化し続けている。

危機のたびにこうした努力の差は企業間であらわになり、また差が広がっていく。立石一真さんは、生前、松下幸之助さんと親しく、多くの薫陶《くんとう》も受けていたようだが、こうした努力は、幸之助さんの「好況よし、不況なおよし」の本義とも相通ずると思う。

第4章

ポスト
コロナショックを
見すえて

いわゆる経済危機もいつか必ず終わる。パンデミックとは「流行」である以上、必ず終息し、それからどれだけ時間を要するかは別として、経済的なコロナショックもいつか終わっていく。とすれば、これからも未来に向かって営々と生きていく私たちは、危機が終わったあとの世界に対するビジョンを持っていなくてはならない。ここからはポストコロナショックの時代に対するビジョン、すなわち妄想の議論に入ろうと思う。

Lの世界、Gの世界の両方に構造改革の好機が到来

先にコロナショックはLの経済圏とGの経済圏の両方に破壊的な危機をもたらす危険性があると書いた。これを裏返すと、世の中の経済活動のほとんど全ての領域で色々な事柄が流動化し、既存の構造が多かれ少なかれ壊れるということ。これは新たな産業構造、新

たなビジネスモデルの創造や、新たな会社のかたちへの転換を行いやすい状況とも言える。

東日本大震災の時も盛んに言われたが、破壊的ショックからのリカバリーは、復旧ではなく復興にしなくてはならない。そのためには企業の大中小を問わず、経営者、経済人の未来を見据えた変革への強い意志が必要なことに加え、痛みを伴う構造改革を周りの行政やメディアが応援する、せめて邪魔をしないことが肝要である。

今やGDPの7割を占めるが低い生産性と低賃金にあえぐL型の産業群。グローバルな大競争と破壊的イノベーションのダイナミズムに苦しむG型のグローバル大企業。それぞれにコロナショックは、これまでの停滞モード、衰退モードを大転換するきっかけとなりうるのだ。破壊的危機の終わりは破壊的イノベーションとの戦いの再開を意味する。Lの世界も、Gの世界も、DX（デジタルトランスフォーメーション）の波に押し流されるのではなく、今度こそそのエネルギーを自らの成長力、競争力、生産性の向上のドライバーにしなくてはならない。

組織も個人も相当なショックを受けないと、きつくて時間もかかる構造改革、根本的な変容、すなわちトランスフォーメーションに取り組むことは難しい。私は、今、この瞬間、企業、個人、社会、政府のあらゆるレベルでトランスフォーメーションの好機が到来していると妄想、いや確信している。

真の淘汰と選択は危機時に始まる。ベンチャービジネスも同様

先述のとおり、危機時においては、それまでの不摂生、そこから生じる基礎疾患の有無が企業の死命を制する。高い固定費、低い営業キャッシュフローマージン、事業リスクに比して高い負債比率などの事業的、財務的な基礎疾患。「長期的な成長性、持続性を重視するなら短期的な利益やキャッシュフローに拘泥すべきではない」などという現実を知らないというか、企業の基本的なキャッシュ循環さえ分かっていない経営者がいることやそういう経営者を選んでしまうのはガバナンス上、あるいは組織能力上の基礎疾患だ。

今回の危機を運よく生き延びることができても、そこで大きなダメージを受けた上に基礎疾患を抱えたままの企業は、次なる破壊的イノベーションとの戦いにも苦戦し、その先にまたやってくる破壊的危機でとどめを刺される可能性が高い。真の淘汰は危機時に始まり、危機時に決着するのである。目の前の危機が終わったからといってほっとしている場合ではない。危機が終わったら直ちに、いや危機の最中から次を見据えた改革を始動すべ

しである。

真の淘汰と選択が始まるのはいわゆるベンチャーの世界も同様だ。90年代に世界中で群雄割拠の体をなしたいわゆるネット系ベンチャーが本格的な淘汰の時代に入り、GAFAが今のGAFAのような突出したメガプラットフォーマーとなっていくのは、2001年のいわゆるドットコムバブルの崩壊（日本では「ITバブルの崩壊」と呼ばれた）以降である。ここ数年、いわゆるユニコーンブームなど、マネタイズ（現実の収益化）可能性を超えた値付けのベンチャーがAI関連やシェアリングエコノミー関連で続出し、ドットコムバブルで言えば1999年ごろのような状況になっていた。コロナショックと、高いバリュエーションを支えていたオイルマネーが原油安で収縮する可能性も相まって、今回のバブル的現象も調整に入る可能性が高い。そうなればここでも淘汰が起きるだろうが、これは今回のフェーズのデジタル系ベンチャーブームの勝者が決まる戦いが始まることを意味する。

言い換えれば、ベンチャー経営者も「危機の経営」力、ある意味、真の経営力を問われているのだ。米国シリコンバレーの有力VC（ベンチャーキャピタル）であるセコイアは、3月6日の時点で「コロナウイルス：2020年のブラックスワン」という警告を投資先に出し、手元キャッシュがあとどれだけ続くのかを直ちに把握せよ、売上減少と資金調達難をリアルに想定し、少しでも生き残り期間を延ばせるようにマーケティング費用、人件費、設備投資を切り詰めよ、と強く促している。本書で述べてきた「危機の経営」の心得そのものである。

前著『AI経営で会社は甦る』（文藝春秋刊）に詳しく書いたが、私のもう一つのライフワークとして、ベンチャー企業を中心とするエコシステムを作る活動、特にシリコンバレーにおけるスタンフォード大学のような大学を中心とした生態系をこの国に形成する活動を、20年にわたり、もう一つの母校である東京大学を中心に継続してきた。いわば合計時価総額が2兆円を超えたとされる東大発ベンチャー生態系、最近の流行言葉で言えば「本郷バレー」の創業メンバーの一人という自負を持っている。

米国のベンチャー経済史もそうだが、ベンチャー・エコシステムもこういう危機で鍛えられ、さらに上のステージに進化する（先のセコイアの警告ではそのことも強調している）。私は、日本のベンチャー・エコシステムもそれなりのところまで成長してきたという認識を持っている。むしろ昨今のベンチャー投資ブーム、AIバブル、シェアリングエコノミーバブルで、ベンチャー経営者やベンチャーキャピタリストがスポイルされるのではないかと危惧していたくらいだ。だから今回の危機は、この生態系が本当の意味で鍛えられ、強くなり、いよいよ世界に通用するメガベンチャーが定常的に生まれるレベルに進化する契機となることを期待している。我が国のVCもベンチャー企業も大学も、ここは踏ん張りどころ、異次元への飛躍のしどころである。

DXは加速する、そして破壊的イノベーションも加速する

パンデミックで在宅勤務時間が長くなり、休日も家で過ごす時間が増えたことで、Zoomのようなリモートワークツールが一気に普及するなど、いわゆるDXが加速することは間違いない。私も家でAmazon Primeで映画やドラマを観る時間が増えた。そして、若い世代の間では、地上波放送ではなく、Amazon Prime、Netflix やYouTubeがテレビをつけた時のデフォルト画面になっているという話は大いにうなずけると思った。Eコマースや Uber Eats のようなシェアリングサービスの活用も進むだろう。こうしたデジタル技術とネットワーク技術を活用する流れは医療、介護、教育、行政サービスなど幅広い領域で加速し、おそらく元には戻らないだろう。

他方、新型コロナウイルスの感染症がパンデミック化したのは世界の交流人口が急速に大きくなったのが原因なので、グローバル化はこれでブレーキがかかるという議論があるが、私はこれに与《くみ》しない。

そもそもDX時代のグローバル化の本質はリアルなモノやヒトの行き来の問題ではない。ネットワーク技術とデジタル技術で世界中の人が同じ情報やコンテンツにほぼ同時にアクセスできる、あるいはリモートで様々な商品やサービスを購入し、国境さえも越えてその効用を享受できるということにある。多くの人が実際に海外旅行をする、移民が増えるといった話は、ある意味、その効用の一部、あるいは結果という側面が強い。今、この瞬間に世界のどの国で何人の新型コロナウイルス感染者が確認され、何人が重症化し、何人が亡くなっているかのデータを、誰もがどこにいても把握できるようになっている。ネットを通じてメールやSNSでは、パンデミック発生以前を上回る膨大な量のコミュニケーションやエールの交換がグローバルに行われている。もちろんフェイクニュースやフェイク情報も。DX時代のグローバル化という意味では、コロナショックによって世界は良くも悪くもさらに小さくなっている。

もちろん欧州の人気観光都市や京都などで起きていた観光バブルに近いオーバーツーリ

ズムにはある程度、ブレーキはかかるだろう。しかし、むしろインバウンドなどは、提供側の生産性や賃金の上昇という観点からは、量（来訪観光客数）から質（支払い単価）に転換する良いチャンスだと思う。また移民問題も、もともとEUなどでもややナイーヴな労働資本の自由化への反発がポピュリズムの台頭など政治的には色々な問題を起こしていたところであり、より現実的に人間という生々しくて不器用な存在が国境を越えて移住し、そこで職業を得、学び、家族を作って生きていくことのリアリティーを踏まえた取り組みが求められているところだった。元北米移民の子孫の私としては、コロナショックが、多様性共存社会が現実的に実現するための出直しの機会となればと考えている。

いずれにせよ、今回の危機でグローバル化×デジタル化による破壊的イノベーションが止まることはない。むしろその勢いは強まる可能性の方が高い。

モノからコトへの流れは加速する
——危機に強いのはリカリング型のソリューションビジネスモデル

リモートワーク、遠隔診療などのリモートサービス、オンデマンドコンテンツやEコマースの利用頻度の上昇など、デジタル技術を使ったサービス、すなわちコトへの消費シフトは、今回の経済危機を境にさらに加速することは間違いない。感染症リスクを考えると、人の命を守るには、下手に対面診療のために病院や診療所に行くより、自宅で遠隔診療を受けた方がはるかに安全ということが証明されてしまったのである。

また、スポーツや音楽、演劇などのライヴイベントの自粛がいかに大きな衝撃、社会的なストレスを生むかも皆が実感した。オリンピックの延期はもちろんだが、かつては大企業の宣伝や福利厚生的な位置づけだったプロ野球、Jリーグ、Bリーグなどのスポーツイベントが、全国津々浦々にわたり、いかに私たちの日常生活のなかに深く根付いていたか、今、多くの人々が痛感しているのだ。いつの間にか、ライヴイベントという「コト」中の「コト」ビジネスは今や人々が高いお金を払ってでも楽しみたい消費の王様になっていたのである。これは旅行についても同じことが言える。

要はモノからコトへの流れもこれまた加速する。モノはますますコトを実現するための手段という位置づけになり、人々はモノ、取り分けハードに対してストレートに多くのお金は使ってくれなくなる。今回、耐久消費財の需要はいったん消える可能性があるが、回復後の巡航水準もコロナショック以前よりも低いレベルになるかもしれない、特に先進国では。

リーマンショックの時もすでにそうだったが、経済危機に強いビジネスモデルは、基本的にリモートな方法でソリューションサービスをリカリング（繰り返し利用、定期購買利用）型で提供するタイプのビジネスモデルである。この手のビジネスモデルは実は昔からあって、いわゆる公共サービスの多くはこれである。例えば電力、ガス、通信、ＮＨＫである。最近はここにネット系の新たなビジネスモデルが多数参入している。Ｅコマース、ネット音楽配信、ネット動画配信、ネット書籍購読、オンラインゲーム、ネット金融……。インターネットという共通インフラの上で、従来と比べると極めて安い参入コストでネットワーク型のリカリングビジネスに参入することが可能になったからである。Ｂ２Ｂの世界でもクラウドベースの各種リカリング型のソリューションサービスが急速に普及拡大している。

ユーザーの嗜好性という意味でも、ビジネスモデルのレジリエンス（強靭性）という意味でも、モノからコトへの流れはますます加速するだろう。

もともと自然災害についても懸念されていたが、大都市への過剰集中は、危機に対する社会全体のレジリエンスを下げる危険性がある。今回の感染拡大においても世界中でその問題は顕在化している。また、こと働くことに関しては、デジタルネットワーク技術の発達で今どき大半の業務はリモートで済むことが実証されつつある。

生産活動の中心が知的生産に移っているなかで、いわゆるオフィスワークの領域で、多くの人がいつも一つの場所に朝から晩まで集まって仕事をする必然性はない。大都市で行われている仕事の大半はそういうタイプの仕事であるにもかかわらず、必要以上に人口が集中した結果、ＮＹ、サンフランシスコやロンドンでは、平均的な労働者が絶対払えないほどに家賃が高騰し、東京ではほとんどの勤労者が1時間以上満員電車に揺られなければ職場にたどり着けない状況を生んでいる。住宅費の高さと通勤地獄が、若者がどんどん集まってくる東京圏における低出生率（経済的に結婚できない×環境的に子育て難しい）の背景にあるという指摘はよく聞く。

知識集約産業においては知識集積度を高めるほうが有利で、そのために都市への人口集中が進むという傾向があるのも確かだが、その一方で過剰集積によってトータルな社会システムが持続可能性を失ってしまうと元も子もない。知識集積を高めるために毎日、職種や業種に関係なく社員全員が朝から晩まで同じオフィスで顔を合わせている必要はないはずだし、最先端のデジタルネットワークを活用すれば、直接に顔を合わせていなくても、かなりの部分はストレスなく仕事ができることを私たちは知ってしまった。

また、サプライチェーンがグローバルに長くなりすぎていることのリスクについても、天災や地域紛争などで度々痛い目に合ってきた中で、今回はおそらくもっとも厳しい形でそのリスクが顕在化していくだろう。そうなると、すべての産業でグローバルサプライチェーンモデルと地産地消のモデルとのリ・バランスの動きが出てくるはずだ。言うまでもなく地産地消型経済圏を過剰集積の大都市に作ることは難しい。

ちょうど全国に5Gネットワークが拡充される時期でもある。私は今回のパンデミック経験を境に大都市、特に東京一極集中の人の流れが変わる可能性があると考えている。

もちろん東京というグローバル都市の重要性や魅力度が変わることはないし、真にグローバルな競争のステージに立っている知識集約的な企業、大学、ベンチャー、プロフェッショナルサービス機能が東京に集積すべきことは今後も変わらないだろう。しかし、そのことは全人口の約3割が東京圏に密集して居住し、かつ昼間はその多くが都心部に集まって仕事をしていることの社会的必要性、経済的必要性を意味してはいない。過剰集積の大都市における満員電車×オフィスワークは、現在問題となっている「密閉」「密集」「密接」な「三密《さんみつ》」そのものの生活スタイルである。むしろそこから不要な社会的ストレスや密度の不経済が生じている可能性が高いうえに、天災であれ感染症であれテロであれ、危機時のレジリエンスは著しく下がっているのだ。

ストレートな地方への機能分散や移住だけでなく、リモートワークによる自宅勤務や東京と地方の二拠点生活、ワーケーションなど、地方、地域を活用した働き方、生き方の選択肢は増えている。地方には人口減少で安い土地がふんだんにある一方で、新幹線の延伸、全国に97カ所もある空港網、高速道路網の整備による安価な高速バス網によって、以前とは格段に便利になった地方をもっと活用した経済活動のあり方、生活のあり方を追求することで、おそらくは多くの人々にとって今までよりも幸せな生き方を実現できる時代がやってくると思う。地方から東京へ、すなわちL（ローカル）からG（グローバル）へと一方通行だった人の流れが変わる好機が到来しているのである。

私たちIGPIグループでは、すでに北は青森から南は神奈川までの東日本地域において、バス、鉄道、モノレール、タクシーなどの地方公共交通サービスを中心に事業展開をするみちのりグループが、ローカルビジネスの再生・再編と様々な最新技術も駆使した生産性向上による高い収益力を軸にLへの流れに乗った成長を続けている。また、昨年から南紀白浜において、ローカル空港の民営化受託を軸にした地域経済活性化の取り組みも開始した。顔認証技術による地域のキャッシュレス化やワーケーション推進も実践中である。実際、AI／IoT／BDを軸にした最新のデジタル技術群は、L型産業のリアルな世界の自動化や生産性向上と相性がよく、みちのりグループや南紀白浜空港は今風に言えば、L（ローカル）型産業のデジタルトランスフォーメーションを推進中なのだ。

地方の現状は、生産性と賃金水準が低い一方で、住居費、生活費は安く通勤時間も短い。そこで驚くべき技術進歩と価格低減が進む新しいデジタル技術で生産性革命を実現し、賃金水準を押し上げられれば、大都市よりも豊かな生活圏を作り出せる可能性が高い。現在、私たちはみちのりグループの成功をロールモデルに、LDX（ローカルデジタルトランスフォーメーション）をより大きな規模で推し進める事業を、同じ志を持った金融機関や事業会社とともに立ち上げることを検討している。これが大きな社会運動に広がって日本全体としてのLDXが起動すれば、政府主導ではなかなか本格軌道に乗っていない地方創生が、今度は民間主導で持続性と自律的拡大力を持つのではないかと期待している。ＧＤＰの７割を占めるこの経済圏が活性化すれば、我が国全体が成長力を取り戻す強力なエンジンにもなるはずだ。

株式会社、市場経済、資本主義の基調も変わる

折しもトマ・ピケティの『21世紀の資本』やユヴァル・ノア・ハラリの『サピエンス全史』が世界的ベストセラーになり、それまでの資本主義、市場経済、産業化モデル、その中心にある株式会社のあり方について世界的スケールで様々な議論が巻き起こっている。いわゆるＳＤＧｓ（持続可能な開発目標）やＥＳＧ（環境、社会、ガバナンス）といった、多元的なマルチステークホルダーを中心に据えた、長期持続性志向の経済システムの再構築を試行する動きが、株主中心主義の本家である米国でさえ活発になっている。

ちょうど19世紀の半ばにカール・マルクスが登場し、「資本論」とエンゲルスとの共著である「共産党宣言」によって、それまでの資本主義経済のあり方に強い問題提起（ほぼ異議）を唱えたころと似たような状況が生まれている。

いわゆるアベノミクスの中で、私が真剣に応援したのは、ローカルアベノミクス（地方創生）とコーポレートガバナンス改革だが、両方に共通する問題意識は、マルチステークホルダー主義的な価値観で経済社会システムをどう持続可能にするかである。そして、2015年に策定された（ある意味、私も起草者の一人である）我が国初のコーポレートガバナンス・コードも、明確にマルチステークホルダー主義と持続性重視を謳っている。

今回のパンデミックは、20世紀の終盤から、グローバル化とデジタル革命の進展とともに加速した知識集約産業化と、それに伴う都市部へのさらなる人口と富の集積、金融緩和と一体化した高株価に支えられた投資と消費に依存した成長モデル、そこから生まれる格差の拡大といった現代の経済社会システムの脆弱性を露呈させる展開になっている。

これだけリアルなショックを受けると、ＳＤＧｓやＥＳＧ的な議論は、より現実的な運動論に転化していく可能性が高い。我が国でもSociety5.0などの未来社会ビジョンが提唱されているが、テクノロジー面だけでなく、社会的、経済的にも株式会社のあり方、市場経済のあり方、資本主義のあり方の変化スピードが加速する可能性は高い。

そして、おそらくは政府部門も史上空前の巨額の流動性供給（金融緩和）と財政出動を行うことになるので、その後の処理も含めて、市場部門と政府部門の両方で従来の経済システムに関する大きなトランスフォーメーションの時代が来るだろう。

さらば「DXごっこ」

日本の多くの企業では最近、デジタルトランスフォーメーション（DX）に立ち向かうためのさまざまな取り組みが始まっていた。

しかし、問題は日本企業がやろうとしているDXの中身だ。よくあるパターンは、こういうものだろう。外資系のコンサルティング会社に高いお金を払い、海外のDX事例をベンチマークして、デジタル戦略やビジョンを策定する。クラウドベースのビジネスプロセスアウトソーシングを導入してDX型の業務改革を行う。あるいは、DXを取り込むためにオープンイノベーションを進めようとコーポレートベンチャーキャピタル（CVC）を作ったり、社員をシリコンバレーやイスラエルに視察に行かせたり、オープンイノベーションラボを作ったりする。

IGPIでも、大企業向けコンサルティングやM&Aアドバイザリーを少なからず行っているので少々言いにくいのだが、はっきり申し上げて、こうした取り組みの多くは「ごっこ」の域、「お勉強」の域を出ていなかった。そんなところにまさにガチンコの真剣勝負であるコロナショックが襲い掛かったのである。

おそらく「ごっこ」ステージを営々と繰り返す企業は、コンサルティング業界的には、とてもいいお得意さん、ということだったのかもしれないが、経済危機のさなかで「不要不急の出費は抑えよう」となったとき、どれだけ多くのDXプロジェクトが生き残るのか。

もとより私を含むIGPIプロフェッショナルがコンサルタントや社外取締役の立場で関わるときには、「DXごっこ」モードから脱却すべく、会社自身のトランスフォーメーションへの真剣勝負を強く促していたところに、「ごっこ」では乗り越えることができないリアルな危機が襲い掛かったわけだ。この危機で日本企業が取り組んできたDX運動が本気だったか否か、今まさに試されている。

CX（能力の大変容）こそがDX（破壊的イノベーションの波）への本質的な解

破壊的イノベーションの衝撃範囲がどんどん広がっていく時代においては、そもそも小手先の実験や観念論的な戦略論では、おそらく今まで同様の敗戦を繰り返す可能性が高い。

２０１９年に、早稲田大学の入山章栄教授と私で解説を書き、日本に紹介した世界的ベストセラー経営書『両利きの経営』（スタンフォード大学Ｃ・オライリー教授とハーバード大学Ｍ・タッシュマン教授の共著、東洋経済新報社刊）でも強調されているが、今や世界中の古くて大きな会社群がＤＸの大波に対応するために問われているのは、トップリーダーから現場に至るまでの「組織能力」の抜本的な進化と強化だ。

当該企業がもともと持っている組織能力、コアコンピタンス（企業の中核となる強み）に磨きをかけ、既存事業の競争力、収益力を持続的に「深化」させるとともに、イノベーション領域の新しい事業シーズを「探索」し、投資して取り込む組織能力をも具備した「両利き経営」ができる企業体へと進化しなければならない。

そのためには、腰を据えて「ヒト」と「カネ」に関わる基本的な会社のかたち、そこに集う人々の生き方・働き方、さらにはその底流にある価値観や文化まで変革しなければならないのである。

本書で何度も繰り返してきた通り、まさに「コーポレートトランスフォーメーション（ＣＸ）」こそが、ＤＸに立ち向かう本質的な解なのだ。

ＴＡ（危機の克服、事業の再生）はＣＸ（企業の大変容）の大チャンス
――リーダーの真価が問われるのは今だ

10年前のリーマンショックの後、多くの企業がいわゆるV字回復的な立ち直りを見せた。しかし問題はその先で、その後に持続的な売上と収益の成長軌道に乗れた企業はごく一部で、多くの企業は瞬間的なV字回復の後で次の成長モデルを見つけられずに苦労している。そう、何度も強調してきたように、破壊的イノベーションは危機の前後を問わず通奏低音のように進行しており、そこに向けて直ちに会社と事業と戦略の基本モデルを根本的に改革、変容を続けた会社でなければ持続的な成長力は取り戻せないのである。それは今回も同様だ。

危機の克服、事業の再生すなわちTurn Around（ＴＡ）局面は、企業の中でも色々なものが壊れ、見直され、既存の堅固な仕組みが流動化する。これは会社の基本アーキテクチャー、事業の基本モデル、そこで必要な組織能力（≒人材ポートフォリオ）を大きく変容、すなわちCorporate Transformation（ＣＸ）を始動する好機が到来していることを意味している。

裏返して言えば、CXごっこの典型であるDX（デジタルトランスフォーメーション）ごっこはこの時期、「不要不急の出費や投資はストップ」ということで、そのほとんどが淘汰されるはずだ。不要不急、すなわち「ごっこ」だったということである。その一方で、真に本質的な経営課題に挑む意思のある経営者にとっては、真剣勝負のCXに打って出るこれ以上のチャンスはない。続編で詳しく述べるが、破壊的イノベーションの時代を生き抜くには企業にとって「両利き経営力」が不可欠なのだが、それは「ごっこ」ではなく、真剣勝負のCXによってのみ獲得できる組織能力なのである。

川村隆さんや中西宏明さんに日立再生の話を伺うと、当初のV字回復の話以上に、そのために大規模な増資を自らがロードショウを行って実施したことで株式会社の根本的な在り方を変える必要性、すなわちガバナンス改革の必要性、経営者モデル、意思決定モデルの転換の必要性を痛感した話や、その後にサービスを軸にしたビジネスモデルへの転換、グローバルに共通指標で人材のプロフェッショナリティーを評価し資源管理するための組織能力改革（≒日本型メンバーシップ雇用からの脱却）の話など、むしろCX的な話がいつも中心になる。コマツを再生しかつ世界トップの高収益企業に押し上げた立役者である坂根正弘さんと話していても、本質的な経営論議はCX的な話題となる。

ＴＡをＣＸに結びつけられたか？　これこそが危機の経営の神髄なのである。

今を生き延びる胆力、決断力と次の時代を見据えて改革を始動する先見力の両方を兼ね備えているか、今まさにリーダーの真価が問われているのだ。

おわりに　日はまた昇る、今は２００％経営の時

危機は必ず終わり、日はまた昇る。思えばちょうど9年前の今ごろ、東日本大震災と原発事故が一向に収束しそうにない頃と同じく、未来が見えない、目のまえが暗闇にしか見えないような状況のなかに私たちはいきなり放り込まれた。しかし、いつか必ずこの危機も終わり、私たちは再びその先の未来に向かって歩き出さなければならない。できれば明るい希望を持って。

危機の時代は、まずはリーダーの時代である。誰よりも体を張り、リスクを取り、ハードワークし、結果責任を背負うべきはリーダーである。そんなリーダーがいてはじめて、最前線を担う現場は思い切り闘える。現場力も生きてくる。

今、すべての人にとって重要なことは目の前の問題に全力で取り組むことである。それは医学的には感染症の爆発を止めること、一般人の私たちにおいては自らの行動変容、す

なわち個人の行動のトランスフォーメーションであり、経済的には収入を失って困窮する人々の生活と人生とシステムとしての経済が不可逆的に壊れることを防ぐことだ。現場もリーダーもここに全力投入だ。

その先には、医学的には感染予防のためのワクチンや抗ウイルス剤の開発、医療体制の整備とイノベーション、そして予防的な生活スタイルの変容という科学的、社会的なトランスフォーメーション課題。経済的には市場経済システムのあり方、産業のあり方、会社のあり方そして職業人としての個人の働き方や生き方にわたる広範なトランスフォーメーションという課題が待っている。リーダー稼業をやっている人間は、そこに向けても全力投入で準備を進めなくてはならない。そして、そうした準備の少なからずは、今目の前にある危機への対応施策のなかにも組み込まざるを得ない。それは次のステップ、未来への初期条件、デフォルトにならざるを得ないからである。

すなわち中央政府、地方自治体、企業、大学研究機関、スポーツや文化に関わる各種団体、NPOなどのあらゆる次元で、リーダーたちは「今」と「未来」の両方に向けて200%全力投球、200%経営を求められているのだ。

今度こそ、この危機を乗り越え、同時に日本社会の様々な次元でじわじわと進行してきた課題、「基礎疾患」の根治を始動する機会としたい。私が本書を著す思いはそこに集約しているし、これは各界のリーダーたちも共有している思いだと信じる。

危機は終わり必ず日はまた昇る。そして私たちの覚悟と行動、２００%分の働き次第で「日出づる国日本」が30年ぶりの上昇期に転ずる時代は必ずやってくる。

冨山和彦　Kazuhiko Toyama

経営共創基盤（IGPI）代表取締役CEO。1960年生まれ。東京大学法学部卒。在学中に司法試験合格。スタンフォード大学経営学修士（MBA）。ボストンコンサルティンググループ、コーポレイトディレクション代表取締役を経て、産業再生機構COOに就任。カネボウなどを再建。解散後の2007年、IGPIを設立。数多くの企業の経営改革や成長支援に携わる。パナソニック社外取締役、東京電力ホールディングス社外取締役。『AI経営で会社は甦る』（文藝春秋）はじめ著書多数。

コロナショック・サバイバル
日本経済復興計画《にほんけいざいふつこうけいかく》

2020年5月10日　第1刷
2020年5月25日　第2刷

著　者　冨山和彦《とやまかずひこ》

発行者　花田朋子

発行所　株式会社　文藝春秋
東京都千代田区紀尾井町3-23（〒102-8008）
電話（03）3265-1211

印刷所　凸版印刷

製本所　加藤製本

・定価はカバーに表示してあります。
・万一、落丁・乱丁の場合は送料当方負担でお取替えいたします。
小社製作部宛てお送りください。

ISBN 978-4-16-391229-5